TUDUR DYLAN JONES

TRYSORFA Arwyr Cymru

Lluniau gan

Brett Breckon

Gomer

TRYSORFA
Arwyr Cymru

Cynnwys

Dewi Sant

Mae'n fore braf o wanwyn yng Nglyn Rhosyn. Popeth yn dawel. Dim ond sŵn y môr yn golchi'r traeth, a phob hyn a hyn sŵn ton yn clatsio yn erbyn y creigiau. Dydyn ni ddim yn disgwyl unrhyw ymwelwyr heddiw, ond pwy a ŵyr? Mae llwybrau'r môr yn gallu bod yn brysur, gyda chychod a chyryglau'n ein cyrraedd o Iwerddon ac o Wynedd ac weithiau o Lydaw. Ond wrth edrych allan tua'r gorwel heddiw, wela' i ddim byd yn agosáu. Gobeithio y caf i, a'm ffrindiau i gyd fan hyn, ychydig o lonyddwch i fwrw ymlaen â'r gwaith ac â'r gweddïo.

Ddydd Mawrth diwethaf, cefais i neges bwysig yn dweud bod rhaid i mi baratoi pregeth arbennig. Bydda i'n rhoi'r bregeth yn yr offeren nesaf. Ac mae angen amser i baratoi pregeth dda.

Ydy, mae popeth yn dawel heddiw. Anodd credu pa mor gyffrous y gall pethau fod yma weithiau. Fel y tro hwnnw pan ddaeth Sguthyn, druan, yr holl ffordd o Iwerddon i'm rhybuddio fod bradwyr yng Nglyn Rhosyn. Diolch i'm cyfaill Aeddan am ei anfon dros y môr. Roedd Duw wedi dweud wrth Aeddan am y cynllwyn i'm lladd. Doeddwn i ddim yn gallu credu'r fath beth – doeddwn i ddim eisiau credu bod gen i elynion yn yr eglwys. Ond pan ddaeth un o'r bradwyr â bara at y bwrdd, torrais y bara yn dri darn. Rhoddais y darn cyntaf i'r ast, ac fe syrthiodd honno'n farw yn y fan a'r lle. Rhoddais y darn nesaf i frân oedd mewn coeden ger afon Alun, wrth ymyl yr eglwys. Dim ond rhoi ei phig yn y bara a wnaeth hi, a bu farw hithau hefyd – yn y fan a'r lle. Doedd dim ofn arna i. Cymerais y trydydd darn a'i fendithio, cyn mynd ati i'w fwyta'n araf o flaen pawb. Roeddwn i'n gwybod y byddai Duw yn gofalu amdanaf i. Gwelodd y bradwyr eu camgymeriad ac mi wnes i faddau iddyn nhw.

Adeg brysur arall oedd y tro hwnnw pan fu'n rhaid i mi alw holl fynachod ac offeiriaid Cymru ynghyd i Landdewibrefi. Roedd y daith yno'n antur fawr. Ar y ffordd daeth menyw ataf, a'i dagrau'n hallt. Roedd hi'n dweud bod ei mab wedi marw, ac roedd yr hiraeth a'r tristwch yn llenwi ei chalon. Gofynnais iddi fynd â fi at y mab, a dyna falch oeddwn i pan lwyddais i'w wella. Cododd o'i drwmgwsg a gwenu ar ei fam. Tybed beth mae e'n ei wneud erbyn hyn? Falle ei fod yn bysgotwr, fel ei dad.

Cyrraedd Llanddewibrefi wedyn. Doeddwn i ddim wedi disgwyl y byddai cymaint o bobl yn dod i'r cyfarfod. Daeth cynrychiolwyr o bob llan ac eglwys. Roedd hi'n anodd iawn cadw trefn ar bawb a bu'n rhaid i mi godi fy llais yn uchel, uchel. Roedd gen i neges bwysig, ac roeddwn am wneud yn siŵr y byddai pawb yn fy nghlywed. Fy neges yn syml iawn oedd bod rhaid i bobl Cymru uno gyda'i gilydd i geisio dilyn Iesu Grist. Er 'mod i'n ddyn eithaf tal, roedd hi'n anodd iawn i bawb fy ngweld. Dyna beth da a rhyfeddol fod y tir wedi codi o dan fy nhraed – arwydd sicr fod Duw yn barod i'm helpu gyda'r gwaith o ledaenu ei neges dros Gymru gyfan . . . A phan anfonodd Duw'r golomen fach i eistedd ar fy ysgwydd, roeddwn i'n teimlo mor hapus. Rydw i

wedi cael cwmni'r golomen hon yn aml. Mae'n dod â chysur mawr i mi. Gyda chwmni'r golomen, cefais nerth a hyder i siarad yn uwch fyth. Rwy'n siŵr fod y cyfarfod wedi bod yn werth chweil. Bob tro y byddaf yn gweddïo, rwy'n cofio diolch i Dduw am godi'r tir ac anfon y golomen ataf i'm helpu. A bydd angen tipyn o help arnaf nawr – mae'r bregeth nesaf hon yn mynd i fod yn un bwysig iawn . . .

Mae'n rhyfedd meddwl, er 'mod i wedi cael fy magu'n fab i Sandde ap Ceredig ap Cunedda Wledig, brenin Ceredigion, ac wedi hen arfer â holl foethusrwydd llys y brenin, dydw i ddim yn gweld eisiau'r bywyd hwnnw o gwbl. Na, mae'n llawer iawn gwell gen i gael enw syml fel Dewi a byw bywyd syml ymhlith fy mrodyr yn yr eglwys. Mae llysiau a ffrwythau'n ddigon i mi i'w bwyta, a dŵr yn ddigon i dorri fy syched. Does dim angen cigoedd a gwinoedd a medd i'm gwneud i'n hapus. Mae'n rhaid bod dylanwad fy mam, Non, yn gryf arnaf. Un a hoffai'r bywyd syml oedd hithau hefyd. Roedd hi wrth ei bodd yn byw fel lleian gan helpu'r bobl anghenus o'i chwmpas.

Merch Cynyr o Gaer Gawch oedd Mam, ac mae sôn ei bod hi'n perthyn i deulu o lwyth y Pictiaid a ddaeth draw o Iwerddon. Rwy'n aml yn meddwl bod hynny o help mawr i fi. Gan 'mod i'n gwybod falle fod gwaed mwy nag un genedl ynof i, gallaf weld pa mor ddwl yw gwneud gelyn o rywun, a hynny dim ond am ei fod yn dod o wlad arall. Mae'n rhaid i ni gyd ddysgu cyd-fyw â'n gilydd, a chofio mai brodyr a chwiorydd i'n gilydd yw pawb.

Roedd cartref Mam yn ardal Henfynyw, ger Aberaeron. Roedd gan bobl yr ardal honno feddwl y byd ohoni. Maen nhw wedi enwi eglwys ar ei hôl hi yn Llan-non sydd gerllaw Henfynyw, ac mae eglwys wedi'i chodi'n arbennig er cof amdani yn

Llannerch Aeron hefyd. Lle rhyfeddol yw ardal Aberaeron. Oddi yno gallwch weld bob cam o Lyn Rhosyn i Ben Llŷn, a hyd yn oed bob cam i Iwerddon ar ddiwrnod clir. Ond er mor hardd yw'r lle, cystal i fi gyfaddef mai yma yng Nglyn Rhosyn rwy'n teimlo'n fwyaf cartrefol erbyn hyn. Yma mae 'nghartref bellach. Yn agos i'r union fan hon cefais i fy ngeni. Roedd hi'n noson stormus, yn ôl y sôn, ac rwy'n cofio Mam yn dweud bod carreg enfawr wedi hollti a glanio wrth ei thraed pan ddes i i'r byd. Tarddodd ffynnon hefyd yn y fan a'r lle, ac roedd hynny'n beth da iawn. Mae dŵr ffres yn brin, ac mae pob ffynnon newydd yn rhoi bywyd a gobaith i bobl.

Mae'r ardal hon yn arbennig iawn. Daeth y derwyddon Celtaidd cynnar yma i fyw, ac wedyn daeth Padrig Sant draw o Iwerddon i esbonio mwy am neges Iesu Grist a sefydlu cymdeithas o bobl Gristnogol yma. Gwyddel oedd Padrig, ac mae nifer o Wyddelod wedi byw yma, a dweud y gwir. Draw ar y garn, yr un ry'n ni'n ei galw'n Clegyr Boia, bu Gwyddel tipyn gwahanol i Padrig Sant yn byw! Rhyw fath o fôr-leidr oedd e. Druan ohono. Doedd e ddim yn hapus iawn i'm gweld *i*'n dod i fyw yma ar y dechrau. Ond ar ôl siarad ag e, daethon ni'n dipyn o ffrindiau, a gofynnodd i fi ei fedyddio yn nŵr afon Alun. Roedd e wedi gweld beth oedd gwerth geiriau Iesu Grist. Yn anffodus, doedd ei wraig ddim yn hapus iawn. Ceisiodd hi wneud popeth i'm harwain i a'r mynachod eraill i drafferth fawr. Un noson, anfonodd ei morynion hardd i ddawnsio o'n blaenau! Roedd hi'n benderfynol o dynnu ein sylw oddi ar ein gweddïau. Ond lwyddodd hi ddim! Ry'n ni wedi addo rhoi ein bywyd yn llwyr i Iesu Grist a does dim byd yn mynd i newid ein meddwl. Ond O! Roedd hi'n grac! Mae'n anodd dychmygu sut all unrhyw un fod mor grac. Aeth mor bell â thorri pen ei llysferch yn ei thymer wyllt! Digwyddodd gwyrth yr eiliad honno, oherwydd cododd ffynnon iachusol yn y fan lle roedd gwaed y ferch druan. Dunawd oedd ei henw hi. Ond nid dyna oedd diwedd y colli gwaed. Y noson y lladdwyd Dunawd daeth tân mawr a llosgi holl gaer Boia i'r llawr, ac ar yr un noson ofnadwy daeth Gwyddel arall oedd yn byw yn yr ardal, dyn gwyllt ei dymer o'r enw Lisci, a lladd Boia yn gelain! Dychmygwch yr olygfa: tân creulon, gwaed coch, stormydd a sgrechfeydd. Ydy, mae'n anodd dychmygu'r fath helynt ar ddiwrnod tawel o wanwyn fel heddiw. Erbyn hyn mae dwy ffynnon yn cofnodi'r hanes trist hwn – Ffynnon Llygad a Ffynnon Boia. Oes, mae llawer iawn o waith dysgu arnom cyn y byddwn yn dilyn ffordd Iesu Grist yn iawn, a phawb yn cyd-fyw'n ffrindiau da.

Wrth edrych yn ôl dros fy mywyd, rwy'n sylweddoli pa mor lwcus rydw i wedi bod. Does dim llawer o bobl yn gallu darllen nac ysgrifennu, ond cefais i ddysgu gwneud y ddwy grefft bwysig hon. Cefais athro arbennig iawn, dyn o'r enw Peulin, a chefais fynd ato i Landdeusant i'w dysgu. Eto i gyd, does dim ots faint fydda i'n ymarfer, rwy'n gwybod yn iawn na fyddaf fyth yn gallu ysgrifennu mor daclus ag ef. Roedd yn trin y bluen fel artist, ac er ei fod e'n colli ei olwg, roedd pob llythyren a luniai ar y memrwn yn berffaith. Un o ddiwrnodau hapusaf fy mywyd oedd hwnnw pan roddais fy llaw dros ei lygaid. Roeddwn i'n gobeithio, na, yn gwybod, y gallwn ei helpu i weld eto. Roedd angen tynnu'r llen oddi ar ei lygaid hen. Gyda ffydd a chymorth Duw, llwyddodd fy nwylo i roi ei olwg yn ôl iddo. Anghofia i fyth y diwrnod hwnnw. Dyma fe'n mynd ati i adrodd ei hoff salm – 'Dyrchafaf fy llygaid i'r mynyddoedd . . .' O! Roedd ei lais mor gyfoethog, a'i ddiolch mor fawr. Rwy'n

credu mai dyna'r diwrnod y penderfynais 'mod i eisiau bod yn fynach fel Peulin. Roedd rhywbeth yn fy nghalon yn dweud wrthyf mai dyna oedd y peth iawn i fi.

Ar y dechrau, falle nad oeddwn i'n sylweddoli'n hollol pa mor galed oedd bywyd mynach. Mae angen cyhyrau cryfion a digon o ddyfalbarhad. Tynnu'r aradr ar hyd y caeau yw un o'r tasgau caletaf. Mae gofyn am nerth bôn braich, yn enwedig wrth dynnu'r aradr dros ambell ddarn caregog o dir. Ond yna, pan ddaw'r cynhaeaf, ar ôl i gymylau caredig y gwanwyn arllwys glaw ar yr hadau, a haul cynnes yr haf ddenu'r ŷd o'r tir, mae gweld y caeau'n dawnsio'n aur i gyd yn gwneud i mi sylweddoli pa mor dda yw Duw. Dim ond i ni gydweithio mae'n bosib i ni ofalu am y ddaear a gawson ni gan Dduw, ac o wneud hyn, fe gawn ni bopeth sydd ei angen arnom.

Mae codi tŷ yn dipyn o chwysfa hefyd. Nid ein bod ni fynachod yn codi tai crand fel rhai'r tywysogion a'r brenhinoedd. Ond hyd yn oed er mwyn codi cytiau bach syml fel ein cartrefi ni, mae angen nerth. Erbyn hyn, mae sawl mynach wedi dod i gadw cwmni i mi yng Nglyn Rhosyn, ac ambell un wedi dod yn ddisgybl i mi. Rwy'n siŵr nad wyf i'n athro cystal ag oedd Peulin, ond rwy'n gwneud fy ngorau glas. Maen nhw wedi dechrau galw'r lle yn 'Tŷ Ddewi'. Mae'r enw hwnnw'n gwneud i mi wenu! Dywedodd un mynach ei fod e'n rhagweld y byddai dros chwe deg o lefydd yng Nghymru yn cael eu henwi ar fy ôl! Wel, does dim ots gen i beth mae pobl yn enwi eu hardaloedd, cyn belled â'u bod nhw'n ceisio helpu'i gilydd i ddilyn ffordd Iesu Grist.

Rwy'n gwybod o brofiad pa mor anodd yw hi i ddilyn y ffordd honno. Fel y soniais yn barod, rwy wedi profi digon o gweryla cas, a hyd yn oed ymladd go iawn, a cholli gwaed. Colli bywydau hefyd weithiau. Mae llawer gormod o ymladd yn y tiroedd

hyn y dyddiau yma. Ymladd yn erbyn y Gwyddelod yn y gorllewin. Ymladd yn erbyn y Saeson yn y dwyrain. Ac er mawr gywilydd i ni, ymladd ymysg ein gilydd – un llwyth, un teulu, yn erbyn llwyth a theulu arall.

Does dim rhyfedd bod mwy a mwy ohonon ni'n troi ein cefnau ar y fath fywyd o gasineb. Rwy i wedi clywed sôn bod pobl ledled y byd, o'r Aifft i Asia, o Sbaen a Ffrainc i'r Iseldiroedd, yn dewis byw yr un fath o fywyd â fi. Beth all fod yn well na chael cell fach syml a thawelwch i weddïo? Ac os oes rhai'n dewis dod i ymuno â ni, wel, popeth yn iawn, cyn belled â'u bod nhw'n gallu parchu'r tawelwch sydd ei angen i addoli Duw.

Rwy'n credu mai fy hoff waith yw casglu mêl gan y gwenyn, a gwreiddiau a phlanhigion llesol er mwyn paratoi moddion i wella pobl yr ardal. Mae Duw wedi rhoi popeth sydd ei angen arnom ni i fyw bywyd iach, ac os byddwn ni weithiau'n mynd yn sâl, mae e wedi rhoi popeth sydd ei angen arnom ni i wella – dim ond i ni helpu'n gilydd. Weithiau mae gwneud y peth bach lleiaf yn gallu dod â gwên yn ôl i fywyd ffrind, ac mae gwenu'n gwneud i bawb deimlo'n well.

Mae tipyn o ofn salwch ar bobl yr ardal hon – a does dim rhyfedd! Mae llai na hanner cant o flynyddoedd wedi mynd heibio ers i'r pla ofnadwy yna – y fad felen – ladd cannoedd o bobl. Roedd teuluoedd cyfan yn marw, a'u hanifeiliaid hefyd. Ond diolch i Dduw, mae golwg iach ar bawb nawr, a'r anifeiliaid yn ôl yn pori yn y caeau.

Ar ôl i ni weddïo, pan fydd yr haul yn dechrau cynhesu'r dydd, ry'n ni'n mynd allan i'r caeau i weithio. Ar ôl gweithio drwy'r bore a pheth o'r prynhawn, ry'n ni'n dod 'nôl at ein gilydd wedyn i ddarllen neu ysgrifennu. Bydd rhai ohonon ni'n

ymweld â phobl yr ardal – gan roi moddion a bwyd fel bo'r galw. Ond pan fydd cloch yr eglwys yn canu, 'sdim ots beth y'n ni'n ei wneud, ry'n ni'n dod at ein gilydd – heb siarad – i weddïo nes bydd y sêr yn ymddangos. Weithiau byddwn ni'n siantio'r salmau. Rwy'n aml yn meddwl bod y sêr yn mwynhau clywed y siantiau hyn ac yn disgwyl amdanyn nhw, cyn mentro allan i ddawnsio yn awyr y nos.

Wedyn, mae'n amser bwyd. Mae digon i bawb, ond dim gormod. Ac ar ôl i ni orffen bwyta, ry'n ni'n mynd gyda'n gilydd i gadw gwylnos am ryw dair awr, cyn mynd i'n cell i gysgu. Na, fyddai'r bywyd hwn ddim yn addas i bawb.

Weithiau byddaf yn sefyll mewn dŵr oer cyn mynd i gysgu. Rywsut mae'r oerfel hwn yn gwneud i mi anghofio am fy nghorff ac yn help i mi droi fy meddwl yn llwyr at Dduw.

A dyna beth rwy'n mynd i'w wneud nawr. Troi fy meddwl yn llwyr at Dduw a gofyn iddo fy helpu i lunio'r bregeth. Rwy'n gwybod yn barod beth fydd ei geiriau olaf:

'Frodyr a Chwiorydd, byddwch lawen a chedwch eich ffydd a'ch cred, a gwnewch y pethau bychain a glywsoch ac a welsoch gennyf fi.'

Ie, dyna fydd y diwedd. Nid dim ond diwedd y bregeth, ond diwedd fy mywyd innau hefyd. Oherwydd angel oedd y negesydd a ddaeth i siarad â mi, a dywedodd wrthyf y byddaf yn marw ymhen wythnos, ar Fawrth y 1af yn y flwyddyn 589.
Ie, mae'n well i mi wneud yn siŵr fod y bregeth hon yn dweud y cyfan felly.
Dyma fy nghyfle olaf.

Rhodri Mawr

Mae gan bawb enw. Dyma un o'r pethau cyntaf a gawn ar ôl i ni gael ein geni. Bydd ein rhieni'n rhoi enw i ni, rhywbeth fel Dafydd neu Jac, Hanna neu Helen falle. Ond fe fydd gennym ail enw, neu gyfenw hefyd. Dyma'r enw sydd ar y teulu, Jones neu Evans neu Williams efallai. Yng Nghymru, roedd hi'n wahanol. Yr arferiad oedd rhoi enw'r tad ar ddiwedd enw'r plentyn. Rhywbeth fel Huw ap Siôn, lle roedd 'ap' yn golygu 'mab'. Os oeddech chi'n ferch, byddech chi'n defnyddio 'ach'. Gwenllïan ach Dafydd fyddai Gwenllïan ferch Dafydd. Ond weithiau bydden ni'r Cymry'n torri ar yr arferiad yma ac yn rhoi ail enw fyddai'n disgrifio'r person.

Meddyliwch pe bydden ni'n gwneud hynny heddiw. Beth fyddai'r ail enw fyddech chi'n ei roi i'ch disgrifio chi eich hun? Iwan Bêl-droediwr? Anwen Ddeallus? Huw Gadarn? Bethan Gyflym? Enw'r dywysoges a briododd Macsen Wledig oedd Elen Luyddog, ac ystyr 'lluyddog' yw 'person â llawer o weision neu bobl yn barod i'w amddiffyn'. Roedd hwnnw'n enw braf i'w gael. Ond meddyliwch pe byddech chi'n cael enw fel Madog Benfras. Ystyr 'bras' yw 'mawr'. A oedd gan Madog ben mawr, felly?!

Un o'r rhai enwocaf i gael enw yn ei ddisgrifio oedd y brenin Rhodri a oedd yn teyrnasu yng Nghymru yn y nawfed ganrif. Dyna i chi tua 1200 o flynyddoedd yn ôl! Hwn oedd ein harweinydd cyntaf yng Nghymru i gael yr enw 'Mawr'. Mae rhai wedi dod wedyn, ac un o'r rhai enwocaf yw Llywelyn Fawr, wrth gwrs.

Heddiw, mae rhai plant yn gwneud yr un gwaith â'u rhieni. Beth yw swydd eich rhieni chi? A hoffech chi wneud yr un swydd? Mae plant i feddygon weithiau'n mynd yn feddygon. Plant i blymwyr yn mynd yn blymwyr. Plant i chwaraewyr rygbi'n mynd

Gwynedd
Powys
Maelienydd
Buellt
Elfael
Seisyllwg
Dyfed
Brycheiniog
Gwent
Glywysing
Morgannwg

yn chwaraewyr rygbi! Roedd Rhodri'n dod o deulu o frenhinoedd. Roedd ei dad yn frenin ac felly yn y cyfnod yma roedd hi'n hollol naturiol i Rhodri hefyd fynd yn frenin. Merfyn Frych oedd enw'i dad a Nest oedd enw'i fam. Roedd Merfyn yn frenin ar Ynys Manaw, yr ynys sydd yng nghanol y môr rhwng gogledd Cymru, Iwerddon a'r Alban. Ar ôl brwydr yng Ngwynedd daeth Merfyn yn frenin yno hefyd, a dyna sut y daeth Rhodri, ei fab, yn frenin ar Wynedd. Cafodd Rhodri ei eni tua'r flwyddyn 820. Does dim llun ohono ar gael yn dangos sut un oedd o. Doedd camerâu heb eu dyfeisio yn y cyfnod hwnnw. Ac os oedd rhywun rywbryd wedi tynnu ei lun â phaent neu inc, yna mae'r llun wedi mynd ar goll. Yr unig beth sydd gennym heddiw yw ychydig o frawddegau yr oedd pobl wedi'u hysgrifennu amdano, a'n dychymyg ni wrth gwrs! Dychmygwch sut ddyn oedd Rhodri. Mae'n rhaid ei fod yn ddyn arbennig iawn petai ond am y ffaith fod pobl, ar ôl iddo farw, wedi penderfynu y bydden nhw'n ei alw'n Rhodri Mawr yn lle Rhodri ap Merfyn.

Mae'n siŵr ei fod wedi cael ei fagu mewn byd cyfforddus iawn. Fel mab i frenin, mae'n siŵr bod digon o fwyd ar gael iddo. Mae'n siŵr ei fod wedi dysgu sut i hela a sut i saethu gyda bwa saeth pan oedd yn ifanc. Ond hefyd, mae'n siŵr ei fod wedi gorfod byw mewn ofn rhag ymosodiadau'r gelyn ar hyd ei oes. Dychmygwch eich bod, bob tro rydych chi'n mynd i gysgu, yn gorfod poeni fod pobl o'r wlad nesaf atoch yn mynd i losgi eich tref ac ymosod arnoch. Mae'n braf meddwl ein bod ni heddiw'n gallu mynd i gysgu'n dawel gan wybod nad yw hyn yn debygol o ddigwydd i ni. Oni fyddai hi'n hyfryd pe bydden ni'n gallu dweud yr un peth am bob man trwy'r byd?

Pan oedd Rhodri'n bedair ar hugain oed, bu farw'i dad mewn brwydr. Pan fyddai rhywbeth fel hyn yn digwydd, roedd mab y brenin yn dod yn frenin yn syth, er ei fod yn drist iawn o fod wedi colli'i dad. Gwaith Rhodri ar ôl dod yn frenin oedd gwneud yn siŵr nad oedd y bobl a oedd yn byw dros y ffin yn mentro dod a choncro'r wlad.

Syrthiodd Rhodri mewn cariad â merch o'r enw Angharad. Roedd Angharad yn dod o'r de, o ardal oedd yn arfer cael ei galw'n Seisyllwg. Dydy'r enw hwnnw ddim yn cael ei ddefnyddio heddiw, ond petaech chi'n edrych ar fap, a gweld lle mae siroedd Caerfyrddin a Cheredigion, dyna i chi fwy neu lai ardal Seisyllwg.

Doedd Rhodri ddim yn un am gymryd tiroedd pobl eraill drwy eu lladd. Brenhinoedd drwg sy'n gwneud pethau felly. Ond roedd yn daer i amddiffyn tir ei bobl ei hun. Un o frwydrau mwyaf Rhodri oedd y frwydr yn erbyn y Llychlynwyr. Roedden nhw wedi dod i Brydain o wledydd fel Denmarc, Norwy a Sweden. Roedden nhw wedi ymladd byddinoedd yn Lloegr ac yn yr Alban ac wedi penderfynu y bydden

nhw'n ymosod ar Gymru hefyd. Ond doedden nhw ddim yn gwybod bod yna frenin yng Nghymru a fyddai'n ddigon dewr i geisio'u hatal rhag dod yma. Y brenin dewr hwnnw oedd Rhodri.

Roedd y Llychlynwyr wedi rhoi eu bryd ar lanio yn Ynys Môn. Does dim llawer o fryniau na mynyddoedd yn yr ynys, ac felly fe fyddech chi'n meddwl y byddai hi'n hawdd i fyddin oedd wedi arfer â thiroedd gwastad Lloegr ddod yno a lladd y bobl. Ond na. Roedd Rhodri Mawr wedi paratoi ar eu cyfer, ac aeth hi'n frwydr fawr ym Môn. Roedd y Llychlynwyr wrth eu bodd yn llosgi eglwysi a mynachlogydd, a dwyn y cyfoeth oedd yno, ac mae'n siŵr y byddai rhai o'r rhain yn Ynys Môn yn y cyfnod yma. Yn ystod y frwydr, gwelodd y Llychlynwyr eu bod nhw'n colli'r dydd, a bod y Cymry'n rhy gryf ac yn rhy gyfrwys iddyn nhw. Colli fu eu hanes, a llwyddodd Rhodri i'w hanfon yn ôl i Loegr. Meddyliwch beth fyddai ein hanes pe bai Rhodri wedi methu. Efallai na fyddai pobl Môn yn siarad Cymraeg o gwbl heddiw.

Roedd mam Rhodri'n dod o Bowys, ac roedd ei brawd, Cyngen ap Cadell, yn rheoli Powys. Pan fu Cyngen ap Cadell farw yn y flwyddyn 855, penderfynodd pobl Powys y bydden nhw'n hoffi i Rhodri Mawr ddod yn frenin arnyn nhw. Mae'n rhaid ei fod yn arweinydd ac yn frenin da a bod llawer o bobl eisiau cael eu rheoli ganddo.

Roedd y bobl yn hoff o Rhodri, a'i wraig Angharad. Roedden nhw'n gofalu am bobl Powys a Gwynedd, ac yn gwneud yn siŵr nad oedd neb yn ymosod arnyn nhw a'u lladd. Yn y flwyddyn 871, roedd brawd Angharad yn hwylio ar y môr pan ddaeth storm, a boddwyd pawb oedd ar y cwch. Gwgon oedd enw'i brawd, ac ef oedd Brenin Seisyllwg. Doedd gan Gwgon ddim plant, ac felly roedd yn rhaid i bobl Seisyllwg ddod o hyd i frenin newydd. A phwy'n well na Rhodri? Roedd Angharad wrth ei bodd fod Rhodri, ei gŵr, yn mynd i fod yn frenin ar yr ardal lle roedd hi wedi cael ei magu. Yn bwysicach na hynny, roedd pobl Seisyllwg wrth eu bodd hefyd gan eu bod nhw'n gwybod bod Rhodri'n frenin teg a charedig. Felly, erbyn hyn roedd Rhodri Mawr yn rheoli Cymru gyfan, bron, rhwng Ynys Môn yn y gogledd hyd at y lle rydyn ni'n ei alw'n Abertawe heddiw.

Roedd Rhodri eisiau gwneud yn siŵr nad oedd neb eisiau ymosod ar ei dir, ac oherwydd bod ganddo lawer o diroedd erbyn hyn, roedd amddiffyn y tir hwnnw'n mynd yn waith anodd iawn. Dyna pam y penderfynodd adeiladu castell yn Seisyllwg. Teithiodd Rhodri ar hyd a lled yr ardal i weld ble roedd y man gorau i adeiladu castell. Aeth i Aberystwyth, Aberteifi, Caerfyrddin, Abertawe a nifer o lefydd eraill. Roedd y rhain i gyd yn addas, ond pan gyrhaeddodd un man, roedd yn gwybod yn syth mai hwnnw oedd y lle perffaith iddo adeiladu castell. Enw'r lle oedd Dinefwr, yn agos iawn i Landeilo. Roedd yno fryn uchel ac roedd afon Tywi'n llifo'n hamddenol trwy'r dolydd islaw gan wneud y tir bob ochr iddi yn dir da er mwyn tyfu digon o gnydau i fwydo'i bobl. 'Dyma'r lle,' meddyliodd Rhodri, ac aeth ati i adeiladu castell yno.

Mae'n rhaid bod Rhodri Mawr wedi dewis lle da ar gyfer adeiladu castell; os ewch chi i Ddinefwr heddiw, fe welwch chi fod y castell yn sefyll yno o hyd. Mae'r pren a ddefnyddiodd Rhodri i adeiladu'r castell gwreiddiol wedi hen bydru a diflannu, ond mae castell o garreg wedi'i adeiladu yn ei le, ac mae hwnnw'n dal ar ei draed hyd y dydd heddiw.

Dim ond am tua chwe blynedd y bu Rhodri'n frenin ar Seisyllwg. Yn y flwyddyn 877, penderfynodd y Saeson ymosod ar Bowys. Yn hytrach na gweld Cymru'n colli tir, penderfynodd Rhodri fod yn rhaid iddo amddiffyn yr hyn oedd ganddo, felly fe aeth ef a'i fab, Gwriad, i Bowys i amddiffyn yr ardal. Does neb, hyd y dydd heddiw, yn gwybod yn iawn ble, ond mewn brwydr rywle ym Mhowys yn erbyn y Saeson, cafodd Rhodri a'i fab eu lladd.

Ond os oedd Rhodri a'i fab wedi marw, roedd ganddo feibion eraill, yn eu plith Anarawd, Cadell a Merfyn. Ac yn wir, roedd Rhodri Mawr yn daid i arweinydd dewr a doeth arall o'r enw Hywel Dda, felly roedd teulu Rhodri wedi parhau i reoli Cymru am flynyddoedd wedyn. Rhodri Mawr oedd y brenin cyntaf i uno tiroedd Cymru, o'r gogledd i'r de. Am ganrifoedd wedyn roedd pob brenin a thywysog yng Nghymru yn ceisio dilyn ei esiampl, a cheisio gwneud yn siŵr mai ni'r Cymry oedd yn rheoli'r wlad hyfryd hon, a neb arall.

Hywel
Dda

Mae cyffro mawr wedi bod yn yr ardal hon ers wythnosau. Pawb yn brysur yn twtio ac yn tacluso ac yn trefnu. Mae Mam a Dad wedi bod yn llawer rhy brysur i roi unrhyw sylw i fi, ac rwy wrth fy modd!

Yn syth ar ôl cael tamaid o frecwast, rwy'n rhedeg allan o'r bwthyn tu ôl i'r efail ac yn dringo coed neu'n cuddio mewn cloddiau nes daw amser mynd i'r gwely. Rwy'n treulio'r dydd i gyd yn gwylio pawb arall wrth eu gwaith. Gof yw Dad, ac mae wedi bod wrthi'n brysur yn pedoli ceffylau a pharatoi pob math o offer i helpu'r ffermwyr drin y caeau. Ddylech chi weld y gwreichion yn tasgu wrth i'r morthwyl mawr fwrw'r haearn a hwnnw'n las gan wres y tân! 'Migldi-magldi-hei-now-NOW'! Dyna rythm y morthwyl yn curo, 'taptaptap-taptatptap-tap-tap – ac yna un ergyd anferth – TAP!'

A wyddoch chi pam mae cymaint o brysurdeb ym mhobman? Wel, am fod y Brenin Hywel yn dod yn ôl! Mae e'n mwynhau dod yma i hela ambell waith, ond does neb wedi'i weld e yn yr ardal hon ers amser maith. Mae wedi bod ar grwydr, yn cyfarfod â Brenin Wessex yn Lloegr ac yn trefnu'i deyrnas trwy Gymru benbaladr – o Brestatyn yn y gogledd i Benfro yn y de. Mae rhai'n dweud ei fod wedi teithio mor bell â Rhufain hyd yn oed, ar bererindod i ymweld â'r Pab! Ta beth am hynny, mae ar ei ffordd yma i gynnal cyfarfod pwysig, a does neb eisiau iddo gael ei siomi pan ddaw e. Ddylech chi weld y gwragedd wrthi'n ddyfal yn sgubo ac yn golchi, yn gwyngalchu'r waliau ac yn paratoi pob math o fwydydd blasus. Mae'r dynion wrthi hefyd yn trwsio'r tŷ ac yn troi'r ardd.

Heddiw, rwy wedi llwyddo i guddio yng nghert Dafydd, fy mrawd mawr, wrth iddo dynnu llond llwyth o wlân draw i'r tŷ lle bydd y cyfarfodydd pwysig yn cael eu cynnal. Bron i mi gael fy nal! Roedd Dafydd yn tuchan ac yn chwysu ac yn cwyno bod y llwyth yn drymach na'r disgwyl. Diolch byth i mi sylweddoli mewn pryd ei fod ar fin dod i edrych ar y llwyth; neidiais allan cyn cyrraedd tir Gwyn y Maer, a rhedeg yng nghysgod y clawdd yr holl ffordd at ddrws y tŷ mawr.

A ddylech chi weld yr ardd! Mae'n rhyfeddod! Mae popeth yn tyfu yma. Llysiau a pherlysiau a blodau. Bydd y gwenyn wrth eu bodd yma pan ddaw'r haf – digonedd o flodau i wneud digonedd o fêl. Mae arogl y grug a'r eithin yn llenwi'r awyr. Does dim ond cyffro i'w weld ym mhobman. Does dim taw ar y gwaith.

Dywedodd un negesydd ddoe y byddai Hywel yn cyrraedd fore trannoeth . . . a'i fod e'n dod â thua dwsin o wŷr mawr gydag e. Ei fwriad yw rhoi trefn ar gyfraith y wlad. Maen nhw'n dweud mai ei ddymuniad yw casglu ynghyd holl arferion pobl Cymru o'r de i'r gogledd a gweld beth sy'n deg, er mwyn gwneud yn siŵr ein bod ni i gyd yn cael ein trin yr un peth. Maen nhw'n mynd i gytuno rhyngddyn nhw ar y drefn orau, ac yna, bydd pawb yn gwybod sut i ymddwyn ym mhob rhan o'r wlad. Bydd yr un deddfau'n rheoli pawb . . . ac mae'r oedolion i gyd yn meddwl bod hyn yn syniad da iawn. O! Rwy'n gyffro i gyd wrth aros i weld pawb yn cyrraedd yma!

Hisht! Beth yw'r sŵn 'na? Ai 'nghalon i sy'n curo? Oes storm fawr yn corddi? Mae ofn mawr arna' i. Gormod o ofn i fentro i lawr o'm cuddfan ym mrigau'r coed. Pam yn y byd na wrandewais i arnoch chi, Mam, a pheidio â symud o olwg efail Dad?

Ond hei! Arhoswch funud. Nid storm sy'n codi! Nid sŵn fy nghalon yw'r curo mawr! Rwy'n gweld ceffylau'n agosáu! Carnau'r ceffylau sy'n taro'r ddaear. Maen nhw'n dod yn nes! Ac ar gefn pob ceffyl mae bonheddwr mawr mewn dillad llachar. Mae'r bobl wedi cyrraedd! Ac ie! Rhaid mai'r marchog cyntaf hwn yw Hywel. Y Brenin Hywel ap Cadell. A dyna fe wedi carlamu heibio, a'i wyneb mor hardd, mor ddoeth, mor gadarn. Tybed beth mae e'n ei weld â'i lygaid miniog? Roedd fel pe bai'n syllu ymhellach na phawb arall.

Arhosais yn gwbl lonydd yn fy nghuddfan yn y coed nes i'r ceffyl olaf ruthro heibio. Arhosais nes i lwch y llwybr syrthio nôl yn dawel. Arhosais nes i sŵn y pedolau olaf dawelu cyn mentro i lawr yn ddistaw o'r goeden a rhedeg bob cam adref â'r newyddion, sef bod Hywel ap Cadell, brenin holl diroedd y gogledd a'r deheubarth wedi cyrraedd Hen Dŷ Gwyn ar Daf!

Chefais i ddim mynd ymhellach na drws yr efail y diwrnod canlynol. Ond O! roeddwn i bron â marw eisiau clywed beth oedd hanes y cyfarfod pwysig yn nhŷ Gwyn y Maer. Ac felly y bu. Am dridiau!

Aros ac aros ac aros wrth yr efail yn cario coed i'w llosgi ar y tân er mwyn i Dad allu toddi'r haearn i wneud pedolau ac offer ac arfau.

Mae'n rhaid bod Dad wedi sylwi 'mod i'n anniddig, oherwydd diwedd prynhawn y trydydd dydd, dywedodd wrtha i y cawn aros ar fy nhraed y noson honno, am fod bardd y brenin wedi addo galw heibio i ddweud yr hanes.

Allwn i ddim credu fy nghlustiau! Cael aros i glywed hanes cyfarfod y bonheddwyr pwysig gan neb llai na bardd y llys! Roedd hon yn mynd i fod yn noson i'w chofio!

Ond rhaid 'mod i wedi mynd i gysgu wrth y tân cyn i'r bardd gyrraedd, oherwydd dydw i ddim yn cofio'i weld e'n dod i mewn. Y cyfan alla' i gofio yw agor fy llygaid a gweld dyn â ffon a thelyn fach a gwallt hir a chlogyn yn eistedd gyferbyn â mi ar stôl deircoes. Roedd ei lais yn ddwfn ac yn bwyllog, a'i linellau fel miwsig, er nad canu oedd e'n union chwaith. Nawr ac yn y man, byddai'n stopio siarad ac yn tynnu ar dannau'r delyn. Dro arall, pan oedd e'n adrodd ei linellau, byddai'n bwrw'r llawr â'r pastwn nes bod y ddaear yn dirgrynu ac yn gwneud i mi deimlo bod fy nghorff i gyd yn cael ei gario gan yr ergydion, fel cwch ar donnau'r môr.

Pan ddeffrais roedd y bardd ar ganol adrodd hanes teulu Hywel ac yn sôn mai ei dad-cu oedd neb llai na Rhodri Mawr, mab Merfyn a Nest. Roedd Merfyn yn un o frenhinoedd Gwynedd, a Nest yn ferch i un o frenhinoedd Powys, felly, dan arweiniad Rhodri Mawr, daeth Gwynedd a Phowys yn un deyrnas. Cafodd Rhodri dri mab: Anarawd, Cadell a Merfyn, ac un ferch, Nest. Yn ei dro, etifeddodd Cadell, tad Hywel, dir Dyfed oddi wrth deulu ei wraig.

Roedd fy mhen i'n dechrau troi gyda'r holl enwau. Ond deallais i gymaint â hyn:

pan anwyd Hywel yn fab i Cadell, roedd yntau'n frenin ar Wynedd, Powys a Dyfed, ac ymhen dim, yn ôl y sôn, llwyddodd Hywel i gael gafael ar diroedd Ceredigion ac Ystrad Tywi. Doeddwn i ddim yn deall popeth, ac roedd hi'n anodd clywed yn iawn gyda sŵn y tân yn clecian ar yr aelwyd, ond rwy'n meddwl mai'r enw ar diroedd Ceredigion ac Ystrad Tywi gyda'i gilydd oedd rhywbeth od iawn, rhywbeth fel 'Seisyllwg'.

Felly, dychmygwch! Am y tro cyntaf, roedd un dyn yn frenin dros y tiroedd hyn o afon Menai ac Ynys Môn, yr holl ffordd lawr at afon Tywi . . . heb sôn am ein hafon Taf fach ni. A heno, gerllaw bwthyn y gof, roedd y brenin nerthol hwn, Hywel ap Cadell, yn cysgu mewn gwely yn nhŷ Gwyn y Maer!

Penderfynais yn y fan a'r lle 'mod i'n mynd i geisio dianc o'r efail yfory i gael cip agosach ar y dyn mawr.

Ond roedd llais y bardd yn ein denu â'i stori. Dywedodd fod Hywel wedi dysgu llawer o bethau ac yn medru siarad Cymraeg (wel, doedd hynny ddim yn anodd, meddyliais, achos roeddwn i hyd yn oed yn medru siarad Cymraeg). Ond, na! Roedd Hywel yn medru siarad Saesneg hefyd, cystal â Brenin Wessex ei hun. Roedd hefyd yn medru siarad Lladin, iaith y Rhufeiniaid, a dywedodd y bardd mai gwir oedd y sôn fod Hywel wedi teithio'r holl ffordd i Rufain. Roedd un stori ofnadwy am yr adeg yr oedd yn Rhufain a gweld y pab Ioan X yn cael ei lindagu. (Ond fedra i ddim dweud mwy am y stori honno, oherwydd roedd clywed sôn am yr holl waed yn gwneud i mi deimlo'n wan, a rhaid cyfaddef 'mod i wedi rhoi fy mysedd yn fy nghlustiau er mwyn peidio â chlywed mwy.)

Gan fod Hywel wedi darllen a theithio a dysgu cymaint, roedd wedi sylweddoli ei bod hi'n bwysig i ni fel Cymry drefnu ein gwlad yn iawn. Er mwyn i ni gydfyw yn hapus â'n gilydd, roedd yn rhaid i ni gytuno â'n gilydd ynglŷn â'r ffordd orau o wneud hyn. Roedd y ffaith fod Hywel wedi galw pawb ynghyd yn dangos ei fod yn arweinydd doeth a theg. Wedi'r cyfan, mewn sawl gwlad arall yn Ewrop roedd y brenin yn penderfynu ar y deddfau a'r cyfreithiau ar ei ben ei hunan heb ymgynghori â neb. Ac, yn ôl y bardd, pe bai rhywun yn mentro anghytuno â'r brenhinoedd hyn, bydden nhw'n mynd yn syth i'r carchar, neu falle'n cael eu crogi!

'Diolch i Dduw am frenin da a doeth fel Hywel!' cyhoeddodd y bardd yn uchel. Ac roedd Mam a Dad yn cytuno. Mentrais innau ddweud, 'Amen', mewn llais mor ddwfn â phosib.

Roedd clywed y bardd yn dweud enwau'r bobl bwysig a oedd wedi dod gyda Hywel fel gwrando ar gân. Roedden nhw mor swynol. Gwrandewch:

> Morgeneu Ynad,
> Cyfnerth, ei fab,
> Gweiri fab Cyfiawn.
>
> Gronwy fab Moriddig,
> Meddwon ail Cerisg,
> Gwgawn Dyfed.
>
> Rhewydd Ynad,
> Iddig Ynad,
> Gwiberi Hen o Iscenain.
>
> Gwrnerth Llwyd, ei fab
> Bledrws fab Bleiddyd . . .

Ac wrth gwrs, Gwyn y Maer, oherwydd yn nhŷ Gwyn roedden nhw'n cynnal y cyfarfod.

Roedd o leiaf ddau arall yno hefyd, dau oedd yn medru ysgrifennu'n dda. Un o'r rhain oedd Blegywryd, archddiacon Llandâf. Dywedodd y bardd y byddai tri chopi o'r cyfreithiau'n cael eu gwneud ac y byddai un yn cael ei gadw yn Ninefwr yn y de, un arall ym Mathrafal yn y canolbarth a'r llall yn Aberffraw yn y gogledd.

Ond druan â'r bobl bwysig hyn! Roedd hi'n adeg y Grawys ac felly, cyn dechrau ar y gwaith mawr o drafod y cyfreithiau, penderfynodd Hywel fod yn rhaid i bawb ymprydio. Ymprydio! Ych a fi! Rwy'n gwybod beth yw ystyr hynny! Dim bwyta o gwbl! Dim un tamed o fara sych na'r darn bach lleiaf o gaws. Roedd Hywel yn siŵr y byddai pawb mewn gwell hwyliau wedyn i feddwl yn glir. Ond doeddwn i ddim mor siŵr. Meddwl oeddwn i y byddai hi'n haws canolbwyntio â llond fy mola o fwyd iach.

Ta waeth, doedd dim angen teimlo'n rhy flin drostyn nhw. Oherwydd, yn ôl y bardd, roedd y wledd wedi'r ympryd yn wledd a hanner. Digon o fwyd i bawb a phawb yn llawen ac yn llawn sgwrs wedi'r holl bendroni mawr.

Gofynnodd Dad i'r bardd ai cyfreithiau Rhufain yr oedd Hywel wedi eu rhoi i ni'r Cymry? Wedi'r cyfan, roedd pawb drwy'r byd yn gwybod am y rheiny. Ond, nage wir! Roedd y bardd wedi clywed Hywel ei hunan yn dweud bod cyfreithiau'r hen Gymry'n rhai llawer tecach na holl gyfreithiau Rhufain. Gwenodd Dad ac roeddwn i'n gwybod ei fod yn falch dros ben o glywed hynny. Yn un peth, yn ôl cyfreithiau'r hen Gymry, roedd lle arbennig iawn i'r gof mewn cymdeithas. Fel gyda chrefft yr ysgolhaig a'r bardd, roedd rhaid cael caniatâd yr arglwydd cyn cael dysgu crefft y gof i'ch mab neu i unrhyw un arall, ac roedd hynny'n rhoi statws arbennig i ni. Roeddwn i'n gobeithio yn fy nghalon y byddai Dad yn cael caniatâd i ddysgu crefft y gof i mi ryw ddiwrnod.

Ond roedd y bardd wedi mynd ymlaen â'i stori. Ac O! dylech chi ei glywed yn esbonio'r gwaith manwl o rannu'r holl gyfreithiau. Roedd cyfraith ar gyfer pawb a phopeth. Cyfraith i'r brenin a'r frenhines, cyfraith i'r offeiriad, cyfraith i'r gwas, cyfraith i'r forwyn, cyfraith i'r meddyg a chyfraith hyd yn oed i'r bardd. Roeddwn i'n meddwl bod hyn i gyd yn swnio fel dryswch llwyr, ond roedd y bardd, a Dad, a Mam i gyd yn cytuno y byddai bywyd yn llawer haws o hyn ymlaen, gyda phawb yn gwybod yn union beth oedd ei hawl a beth oedd y gosb pe byddai unrhyw gyfraith yn cael ei thorri.

Doeddwn i ddim yn hoffi sŵn y gair cosb. Roeddwn i'n cofio'n rhy dda i mi gael bonclust gan Dad am ddwyn afal o berllan Tŷ Gwyn ddiwedd yr haf diwethaf, a doeddwn i ddim eisiau meddwl am gael cosb arall fel honno. O! na.

Ac wrth feddwl am y gosb hon, meddyliais eto am y syniad o ddianc fore trannoeth, ac wrth glywed yr holl sôn am chwarae teg, penderfynais y byddwn i'n gofyn yn garedig i Dad am ei ganiatâd. Falle y byddai'n fodlon gadael i fi fynd, neu'n well fyth, falle byddai'n fodlon dod gyda fi.

Ac yn wir i chi, fore trannoeth, a hithau'n fore braf o wanwyn hwyr, aeth Dad a fi am dro i Dŷ Gwyn, a chawsom groeso yn y gegin gan Elin y forwyn, hen ffrind i Mam. A phan ddaeth hi'n amser swper, gadawodd Elin i fi – ie fi, cofiwch – gario dysgl a'i llond o ffrwythau i mewn i'r ystafell fawr er mwyn i mi gael cip agosach

ar y bonheddwyr i gyd. Roedden nhw'n eistedd o gwmpas bwrdd mawr, ac ar ganol y bwrdd roedd pob math o lawysgrifau, ac yn y gornel roedd un dyn wrthi'n ysgrifennu'n ofalus ar femrwn hardd â phluen hir. Doedd dim angen gofyn pa un oedd Hywel. Sylwais arno'n syth. Roedd e'n eistedd ar orsedd fawr yn edrych yn wahanol i'r lleill rywsut. Gwisgai'r un math o ddillad â phawb arall, ac roedd ganddo'r un math o wallt, ond roedd rhywbeth yn ei lygaid, rhyw olwg fel pe bai'n gweld ymhellach na'r lleill. Mae'n siŵr mai dyna beth sy'n eich gwneud yn arweinydd da, meddyliais – y gallu i weld ymhell.

Ond hanes yw hynny bellach. Erbyn hyn rwyf innau'n hen of fy hunan. Bu farw Mam a Dad flynyddoedd maith yn ôl. Cefais ganiatâd fy arglwydd i ddysgu crefft y gof i'm mab, a fe nawr sy'n bwrw'r morthwyl mawr i gyfeiliant yr hen, hen rythmau. Migldi-magldi-hei-now-NOW! A phan mae'r nos yn tynnu'n nes, a gwaith yr efail yn dirwyn i ben, byddaf wrth fy modd yn dweud hanes Hywel ap Cadell wrth fy mab a'i fab yntau. Maen nhw'n mwynhau gwrando hefyd, yn enwedig fy ŵyr bach gan mai Hywel yw ei enw e hefyd! Ei hoff ddarn yw hwnnw lle mae Hywel yn cael ei alw'n Hywel Dda . . . ond, a dweud y gwir, dyw ein Hywel bach ni ddim yn un da iawn bob amser – mae'n hoffi dringo coed a chuddio yng nghert ei frawd mawr. Ond, dyna ni! Alla i ddim cwyno am hynny, alla i?!

Clywais fod rhywun wedi cofnodi ar femrwn hardd y geiriau hyn ar ôl marwolaeth Hywel Dda:

> Oed Crist 948, bu farw Hywel Dda, fab Cadell, brenin Cymru oll, y doethaf a'r mwyaf cyfiawn o'r holl dywysogion. Roedd e'n caru heddwch a chyfiawnder, ac yn ofni Duw. Ac yn llywodraethu'n gydwybodol, yn gyfiawn ac yn dangnefeddus. Roedd pawb yn ei garu'n fawr, y Cymry, doethion y Saeson a phobl o wledydd eraill, ac o achos hynny, cafodd yr enw Hywel Dda.

Gadawodd bedwar o feibion ar ei ôl, sef Owain, Rhun, Rhodri ac Edwyn, ond yn anffodus iawn, iawn, roedden nhw wedi mynd i ymladd ei gilydd. Doedd dim un ohonyn nhw, mae'n siŵr, yn ddoeth nac yn gweld yn bell iawn, ac aeth sawl blwyddyn heibio cyn i deyrnas drefnus Hywel Dda weld cyfnod o heddwch eto.

yDywysoges Nest

Mewn dyffryn hardd ar gwr y coed
ar lannau afon Teifi,
mae castell newydd yn y fan
sy'n adrodd hen, hen stori.

Stori'r Dywysoges Nest,
y dywysoges harddaf –
mae'n stori sy'n sibrwd yn nail y coed
uwch Teifi'n llifo'n araf.

Merch Rhys ap Tewdwr ydoedd hi,
roedd yn hardd ers awr ei geni,
a gweld ei holl bryferthwch hi
un dydd wnaeth y Brenin Harri.

Bu'n byw yn Llundain gyda'r dyn,
a ganwyd iddi blentyn,
ond ar ei phen ei hun y daeth
yn ôl i Gymru wedyn.

Cafodd ei rhoi yn wraig i un,
heb ddewis iddi ragor,
ac enw'r bonheddwr hwnnw oedd
y Norman, Gerallt de Windsor.

Gwirionodd hwnnw ar ei wraig,
yr harddaf o ferched Cymru
ac adeiladodd gastell hardd
yn gartref clyd i'r teulu.

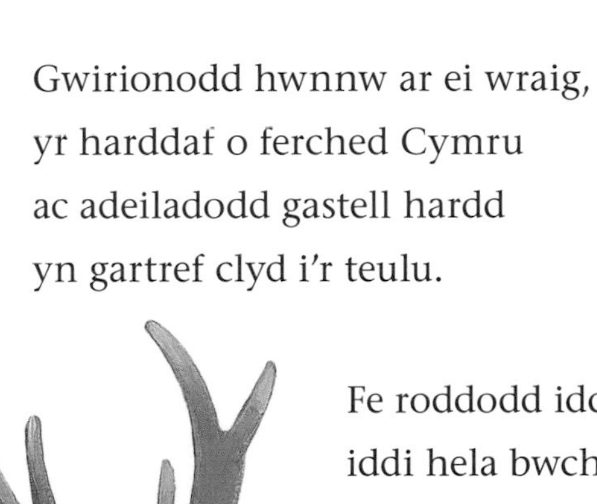

Fe roddodd iddi barc mawr gwyrdd
iddi hela bwchadanas.
Parc Nest yw'r enw ar y lle
hyd heddiw, ac o'i chwmpas . . .

. . . fe welai goed ac afon las
a chaeau gwyrdd a bryniau,
ond er y rhyfeddodau hyn
roedd yn ei chalon ddagrau.

Dagrau yn ei chalon fach
a dagrau yn ei llygad,
teimlo'n drist bob dydd a nos –
am na wyddai beth oedd cariad.

Ond, un dydd, cyrhaeddodd gŵr
a'i gwnaeth i wenu'n gyfan,
Cymro bach a chyfaill mawr –
Sef Owain ap Cadwgan.

A ffoi wnaeth Nest o'r castell mawr
ac Owain iddi'n gwmni
ac yntau'n ei hamddiffyn hi,
a'i fraich yn dynn amdani.

Ond Gerallt wylltiodd gyda hyn
a chododd natur greulon.
Fe laddodd Owain gyda'i gledd
a'i daro drwy ei galon.

Pan glywodd Nest am hyn i gyd
daeth hiraeth yn llawn dagrau,
syrthiodd i'r llawr, a phlygu'i phen
a thorrodd ei chalon hithau.

Ac os ewch draw un dydd am dro
at yr afon wrth y dolydd,
falle y clywch chi hiraeth Nest
yn galw yng Nghastell Newydd.

Gwenllian

Nid oedd yr un wraig drwy Gymru gyfan mor hardd ag Angharad, gwraig Gruffydd ap Cynan, brenin Gwynedd. Doedd neb yn cerdded mor urddasol â hi. Doedd gwallt neb mor eurgoch nac mor sgleiniog â'i gwallt hi, a doedd llygaid neb mor fawr nac mor ddisglair â'i llygaid hi. Doedd yr un wraig yn siarad mor ddoeth a phwyllog â hi, a neb mor garedig nac mor barod ei chymwynas â hi. Neb, hynny yw, heblaw am ei merch ei hunan – Gwenllïan.

Merch ieuengaf y teulu oedd Gwenllïan, ac roedd hi'n dipyn o ffefryn gan ei brodyr a'i chwiorydd, a'i rhieni hefyd, o ran hynny. Roedd hi wastad yn gwenu, a rywsut yn gallu codi calon pawb o'i chwmpas bob amser. Wrth iddi dyfu'n hŷn, cynyddu wnaeth ei phrydferthwch hefyd, a doedd hi'n fawr o syndod fod llawer o fechgyn ifanc Cymru eisiau ei phriodi. Ond doedd Gwenllïan ddim yn bwriadu priodi neb ar frys. Roedd hi am fod yn gwbl siŵr ei bod yn caru'r bachgen y byddai'n ei briodi. Buasai'n well o lawer ganddi beidio â phriodi a mynd yn lleian na gorfod rhannu ei bywyd â rhywun nad oedd yn ei garu.

Yn ystod y cyfnod hwn, 'nôl tua 1100, roedd Cymru'n lle peryglus iawn. Dro ar ôl tro roedd pobl ddieithr yn dod ac yn ceisio ymosod ar y wlad. Roedd y Fflemiaid a'r Normaniaid, heb sôn am y Saeson, i gyd yn awchu am feddiannu ei thir. Roedd tipyn o helynt wedi bod yn nhiroedd y de, yn ardal Dinefwr, ac yn y pen draw bu'n rhaid i Gruffudd ap Rhys, tywysog Dinefwr, ddianc ar frys o'r Deheubarth i geisio lloches yng Ngwynedd. Roedd y Normaniaid eisiau ei waed!

Yn ystod ei arhosiad yn y gogledd, ac yntau'n cuddio rhag y gelyn, daeth Gruffudd yn ffrindiau gyda Gwenllïan. A dweud y gwir, daeth Gruffudd a Gwenllïan yn fwy na ffrindiau, ac ymhen dim roedd y ddau'n caru ei gilydd yn fawr iawn. Gwyddai Gruffudd yn ei galon na fyddai fyth yn gweld neb mor hardd nac mor annwyl â Gwenllïan, a gwyddai Gwenllïan na fyddai hithau chwaith fyth yn gweld neb mor hardd nac mor annwyl â Gruffudd. O'r diwedd, roedd hi'n gwybod! Naill ai roedd hi'n mynd i briodi Gruffudd ap Rhys o Ddinefwr neu fyddai hi fyth yn priodi neb! Ac un noson dawel, pan oedd y môr yn llonydd a'r llong yn barod i fynd â'r tywysog ifanc yn ôl i'r de i amddiffyn ei deyrnas, cytunodd y ddau y bydden nhw'n priodi cyn gynted â phosib. Roedd y ddau'n llawen iawn, ac yn gwybod, er gwaetha'r holl ofn a chasineb oedd yn y wlad, y bydden nhw'n gallu helpu ei gilydd i wynebu popeth. Yn fwy na dim, roedd y ddau'n gobeithio y bydden nhw'n llwyddo i ddod â heddwch yn ôl i'w gwlad.

Yn ogystal â bod yn hardd ac yn ddoeth, roedd Gwenllïan hefyd yn ddewr. Doedd hi ddim eisiau aros hyd nes y byddai Gruffudd wedi ennill ei deyrnas yn ôl cyn ei briodi – wedi'r cyfan, doedd dim posib gwybod pryd fyddai hynny. Na, doedd dim ofn arni hi! A beth bynnag, roedd hi eisiau bod gyda Gruffudd yn fwy na dim yn y byd – perygl neu beidio. Yn wir, credai Gwenllïan fod mwy o berygl iddi farw o hiraeth yng nghartref cymharol ddiogel ei thad yn y gogledd nag o ymosodiad gan elyn yn y Deheubarth. Felly, un noson, er gwaethaf cyngor ei theulu, penderfynodd hwylio o ddiogelwch llys ei thad yng Ngwynedd a dilyn ei chariad yn ôl i Ddinefwr. Daeth ei chwiorydd, Mared, Rhiannell, Susanna ac Annest, a'i brodyr, Cadwallon, Owain a Cadwaladr i gyd i ffarwelio â'u chwaer fach, ac er mor anodd oedd gadael teulu Aberffraw, roedd Gwenllïan yn benderfynol mai yn Ninefwr yr oedd hi eisiau bod.

Roedd Gruffudd wrth ei fodd pan welodd Gwenllïan yn cerdded tuag ato. Gwisgai wn hir las a disgleiriai ei llygaid â llawenydd. Heb oedi mwy, rhuthrodd y ddau o olwg y gelyn i berfeddion y goedwig yn Ystrad Tywi, ac yno, yng nghwmni ychydig ffrindiau yn unig, priododd Gwenllïan a Gruffudd. Heb ddim ffws na ffwdan, dim parti mawr na dathlu tywysogaidd, dim ond cytgan yr adar a dawns y dail, unwyd dwy galon ynghyd. Ac roedd calonnau'r ddau yn llawn cariad tuag at ei gilydd a chariad tuag at bobl Cymru.

Gydag amser daeth holl bobl yr ardal i garu Gwenllïan. Roedd hi mor siriol ac mor fonheddig, bob amser yn barod i helpu pawb, a byth, byth yn anobeithio. Roedd ei gwên a'i geiriau caredig yn gwneud i bawb deimlo'n well, ac roedd y Cymry'n dechrau breuddwydio eto y byddai modd gweld heddwch yn ôl yn y tir. Lle bynnag yr âi Gwenllïan, roedd gobaith yn ei dilyn.

Daeth pawb i wybod am blas Dinefwr fel cartref croesawgar, ac ymhen amser, daeth sŵn traed a chwerthin plant i lenwi'r lle. Roedd

Gruffudd a Gwenllïan yn caru eu plant yn fawr ac yn rhyfeddu wrth eu gweld yn tyfu'n gyflym i fod yn fechgyn a merched cryf. Enw un ohonyn nhw oedd Morgan, enw un arall oedd Maelgwyn, ac enw'r un bach oedd Rhys.

Ond er bod eu cartref yn un cariadus, roedd cysgod perygl dros y plas dywyll. Weithiau, pan fyddai'r cysgodion yn aml, a'r gelyn yn bygwth, byddai'n rhaid i'r teulu ddianc o'r plas yn Ninefwr a ffoi i'r mynyddoedd a'r coedwigoedd. Bryd hynny, byddai'r plant yn dangos eu bod nhw, fel eu rhieni, yn bobl ddewr. Byddai'r teulu i gyd yn cadw'n agos at ei gilydd, a chyn mynd i gysgu dan garthen gynnes, byddai bardd y teulu'n adrodd straeon ac yn datgan cerddi am Gymry dewr eraill. Roedd Rhys bach yn arbennig wrth ei fodd yn clywed y cerddi a'r canu.

Ddangosodd Gwenllïan erioed ei bod hi'n teimlo dagrau yn ei chalon wrth feddwl y gallai'r gelyn, ryw ddiwrnod, ddod o hyd iddyn nhw a niweidio un o'i phlant annwyl.

Yn 1136, pan oedd Gwenllïan bron yn ddeunaw mlwydd oed, daeth cyfle arbennig i Gruffudd ap Rhys ymuno â'i dad-yng-nghyfraith, Gruffydd ap Cynan o Wynedd, er mwyn ceisio rhoi diwedd ar fwriad y Normaniaid a'r Saeson i ddwyn mwy o dir oddi ar y Cymry. Roedd tywysog arall, Hywel o Frycheiniog, wedi llwyddo i guro'r estroniaid mewn brwydr yn Llwchwr yn ardal Abertawe, ac roedd hyn wedi rhoi gobaith i deulu Dinefwr. Os oedd Hywel o Frycheiniog wedi llwyddo, efallai y byddai modd i'r Cymry drechu'r gelyn unwaith ac am byth!

'Gwenllïan, bydd rhaid i mi fynd i geisio cymorth dy dad,' meddai Gruffudd un diwrnod, 'oherwydd mae un peth yn sicr, os y'n ni'n mynd i drechu milwyr y gelyn, mae'n rhaid i ni weithio gyda'n gilydd!'

'Rwyt ti'n llygad dy le,' atebodd Gwenllïan. 'Cer di, ac fe wnaf i fy ngorau glas i ofalu am Ddinefwr ac am y plant. Rwy wedi ymladd wrth dy ochr di sawl gwaith erbyn hyn, ac mae gen i nerth cystal â'r un dyn, ac mae gen i awdurdod i reoli byddin.'

'Yn enw Duw,' atebodd Gruffudd, 'boed i ti fod yn ddiogel. Arhosa amdanaf i. Byddaf yn dychwelyd cyn gynted ag y bo modd. A phwy a ŵyr, efallai na fydd yr un gelyn yn bygwth y wlad hardd hon byth eto.'

'Gad i ni obeithio hynny. Bydd yn ofalus,' meddai Gwenllïan. Unwaith eto, soniodd hi ddim wrth ei gŵr am y dagrau o hiraeth a oedd eisoes yn cronni yn ei chalon. Er gwaethaf cwmni'r plant, roedd hi'n gwybod yn iawn y byddai'n gweld eisiau Gruffudd bob dydd.

Ffarweliodd y ddau'n dyner, heb wybod mai dyna'r tro olaf y bydden nhw'n gweld ei gilydd . . .

Yn fuan ar ôl i Gruffudd adael, daeth negesydd â'r newyddion brawychus i glustiau Gwenllïan fod byddin fawr o Normaniaid wedi glanio ym Morgannwg a bod y milwyr i gyd yn gorymdeithio tua chastell mawr Cydweli!

Byddin! Normaniaid! Cydweli! Gwyddai Gwenllïan y byddai'n rhaid iddi weithredu'n ddoeth ac ar frys.

Yn y dyddiau hynny, roedd gŵr cas o'r enw Maurice de Londres yn byw yng nghastell Cydweli, ac roedd e'n benderfynol o goncro mwy a mwy o diroedd er mwyn estyn ei deyrnas. Fyddai dim yn well ganddo na bod yn berchen ar blas hardd Dinefwr a holl gaeau ffrwythlon Dyffryn Tywi. Roedd yn dyheu am gael hwylio ar yr afon a hela yn y bryniau a gallu ymffrostio mai fe oedd arglwydd yr ardal i gyd. Roedd e wedi cael hen ddigon ar y Cymro balch 'na yn Ninefwr – Gruffudd ap Rhys! Hy! (Doedd e ddim eisiau cyfaddef ei fod yn cenfigennu wrth dywysog Dinefwr, nid yn unig am fod ganddo diroedd mor ffrwythlon, ond am fod ganddo wraig mor hardd hefyd!)

Roedd Gwenllïan yn gwybod yn iawn nad oedd amser i'w golli, ac nad oedd modd o gwbl iddi aros i'w gŵr ddod yn ôl i'w hamddiffyn. Sylweddolai ei bod hi a'i theulu a'r holl gymdogaeth mewn perygl mawr, ac mai hi oedd yr unig un a allai eu hachub.

Ond nid un i wangalonni oedd Gwenllïan. Heb oedi dim, galwodd holl benaethiaid yr ardal ynghyd, a chytuno ar gynllun. Roedden nhw'n driw i Gwenllïan ac yn barod i'w dilyn hi i faes y gad.

Yn ddoeth ac yn ddewr, arweiniodd Gwenllïan fyddin fach i gadw llygad ar gastell Cydweli. Yna, anfonodd fyddin arall, un fwy, i ymladd â'r milwyr Normanaidd a oedd newydd lanio. Y gorchymyn i'r milwyr hynny oedd iddyn nhw wneud popeth o fewn eu gallu i atal y Normaniaid rhag dod i Gydweli.

O'i chuddfan wrth droed Mynydd y Garreg, gallai'r dywysoges fentrus weld Castell Cydweli a thrwy hynny wneud yn siŵr na fyddai'r hen Maurice milain yn gadael er mwyn ymuno â'r milwyr newydd. A phe bai Maurice a'i ddynion yn penderfynu ymosod arni hi, wel, byddai'n rhaid iddyn nhw groesi afon Gwendraeth, ac roedd honno'n afon ddigon peryglus.

Y noson honno, er bod ei chalon yn curo'n gyflym, ac er bod y gwynt yn mynnu canu hen alaw drist yn y coed, roedd Gwenllïan yn teimlo'n hyderus y byddai'n gallu amddiffyn ei phobl. Roedd hi'n gwybod y byddai ei gŵr, Gruffudd, yn falch ohoni, ac roedd hi'n benderfynol o wneud yn siŵr y byddai ei phlant yn ddiogel. Yn cadw

cwmni iddi roedd dau o'u meibion cryfaf, sef Morgan a Maelgwyn, ac er eu bod yn ifanc, gwyddai Gwenllïan eu bod yr un mor ddewr â'u tad.

Ond fore trannoeth, a'r gwynt wedi gostegu, ac afon Gwendraeth yn parablu ei chân fach dlos yn ddiniwed, clywodd Gwenllïan sŵn y tu cefn i guddfan ei byddin fach. Gwyddai ym mêr ei hesgyrn beth oedd y sŵn hwnnw. Roedd wedi'i glywed droeon o'r blaen. Trodd ei phen, ac yn wir, er mawr arswyd iddi, gwelodd fyddin anferth yn symud tuag ati! Roedd hi wedi'i chornelu. Doedd hi ddim yn deall y peth. Pwy oedd y milwyr hyn? Ac o ble oedden nhw wedi dod?

Wyddai hi ddim fod bradwr wedi rhybuddio'r Normaniaid a oedd newydd lanio fod byddin y Cymry wedi mynd i'w cyfarfod. Roedd y bradwr wedi dweud wrthyn nhw am fynd i Gydweli o gyfeiriad arall. Roedd y bradwr wedi arwain y gelyn at galon ei bobl ei hunan! Doedd dim gobaith gan Gwenllïan a'r ychydig filwyr Cymreig a oedd yn cuddio ym Mynydd y Garreg. Dim gobaith o gwbl.

Er gwaetha'r perygl, gwnaeth Gwenllïan ei gorau glas i geisio anfon y milwyr estron yn ôl, ond roedd cymaint ohonyn nhw!

Mae'n anodd disgrifio'r hyn a ddigwyddodd nesaf. Gydag un sgrech hunllefus trawodd un o'r Normaniaid Maelgwyn, ei mab annwyl, a bu hwnnw farw wrth ochr ei fam. Torrodd Gwenllïan ei chalon, ac wrth iddi benlinio i anwesu Maelgwyn, fe'i hanafwyd hithau hefyd. Ymhen dim, roedd hi a'i mab arall, Morgan, ill dau'n garcharorion.

Heb ddangos unrhyw dosturi, cydiodd arweinydd y fyddin yng ngwallt Gwenllïan ac o flaen llygaid Morgan, ger corff ei mab Maelgwyn, aeth ati i'w dienyddio yn y fan

a'r lle. Gydag ysbryd dewr wynebodd Gwenllïan ei diwedd, gan weiddi 'Cofiwch fi', wrth i'r fwyell dorri drwy'i chnawd. Disgynnodd ei phen i'r glaswellt, ac yn yr union fan honno, tarddodd ffynnon. Enw'r cae hyd heddiw yw Maes Gwenllïan.

Druan â hi. Gweld lladd un o'i meibion, gweld colli ei thiroedd, a pheidio â gweld ei hannwyl ŵr byth eto. A druan â Morgan.

Pan glywodd Gruffudd am y gyflafan hon, rhuthrodd adref ac ymunodd holl dywysogion a phobl Cymru ag ef mewn cydymdeimlad. Roedd pawb wedi'u cynddeiriogi fod byddin o estroniaid wedi gallu cipio bywyd tywysoges a oedd mor annwyl ganddyn nhw.

Am flynyddoedd ar ôl marwolaeth Gwenllïan fedrai'r Cymry ddim maddau i'r Normaniaid, a gwelodd y wlad ymladd ffyrnig a llawer o dywallt gwaed.

Y tro nesaf y byddwch yn ardal Cydweli, gwnewch yn siŵr eich bod yn mynd draw i Faes Gwenllïan, ac wrth gofio'r stori waedlyd hon, mynnwch funud i ddiolch am heddwch.

Llywelyn
Ein Llyw Olaf

Mae'n siŵr nad ydych chi erioed wedi clywed amdana i. Dafydd ap Siôn ydy fy enw i a dwi'n byw mewn lle o'r enw Abergwyngregyn. Wrth edrych allan dros y môr, dwi'n gallu gweld ynys Seiriol ac Ynys Môn yn gorwedd yn urddasol yn y dŵr. Dyna un o'r atgofion cyntaf sydd gen i. Mam yn mynd â fi yno i lawr at y traeth. Yn sydyn daeth criw o tua tri deg dyn i'n cyfeiriad ni. Pob un wedi'i wisgo'n lliwgar a smart. Ond roedd gwisg un hyd yn oed yn well na'r gweddill. Roedd lliw coch ac aur ar ei wisg, a gwallt yn disgyn yn donnau at ei ysgwyddau. Gofynnais i Mam pwy oedden nhw. Dywedodd hithau'n dawel wrtha i mai Llywelyn y tywysog oedd o. Dyna'r tro cyntaf i fi gofio'i weld. Gwelais i Llywelyn gannoedd o weithiau wedi hynny. Roedd o hyd yn oed yn gwybod fy enw i.

Er nad ydych chi wedi clywed amdana i, dwi'n siŵr eich bod chi wedi clywed am Llywelyn. Llywelyn ein Llyw Olaf. Mae Abergwyngregyn yn lle pwysig iawn achos dyma lle roedd Llywelyn yn byw. Enw fy ffrind gorau yn y pentref oedd Ieuan, ac roedd y ddau ohonon ni'n mynd a dod ar hyd y lle fel y mynnen ni, dim ond i ni wneud yn siŵr ein bod ni nôl adref erbyn i'r haul fachlud. Roedden ni'n aml yn gweld Llywelyn a'i wŷr yn mynd a dod ar gefn eu ceffylau. Roedden ni'n chwifio ein dwylo arnyn nhw, a nhw'n codi eu dwylo'n ôl arnon ni.

Pan oeddwn yn bymtheg mlwydd oed, cefais fynd yn was i'r gof yn llys Llywelyn. Meddyliwch! Fi, yn cael bod yn was i'r gof! Fy ngwaith i yn y llys oedd helpu Ifan y Gof i wneud pob math o bethau. Beth bynnag oedd ei angen, roedd Ifan y Gof yn gallu'i wneud. O bedolau ceffyl i gleddyfau. Roedden ni'n aml yn cael sgyrsiau yng ngolau'r tân. Roedd Ifan mor hen nes ei fod yn cofio Llywelyn yn cael ei eni. Mae'n cofio gwneud dysgl fach i ddal cannwyll iddo ar ei ben blwydd yn dair oed!

Er mai Llywelyn ap Gruffudd oedd ein tywysog, doedd o ddim yn ein trin fel gweision. Roedd o'n ein trin ni fel aelodau o'i deulu ei hun. Dyma pam roedd gan bob un ohonon ni feddwl mawr ohono.

'Ti'n gweld,' meddai Ifan wrtha i un diwrnod, 'mae Llywelyn yn ddyn da. Weli di ei dŷ i fyny fan'na? Does dim angen castell arno, ti'n gwybod. Ac mi ddweda i pam . . .'

Roeddwn i'n glustiau i gyd.

'Mae gan y bobl yma barch tuag ato. Fyddai neb ohonon ni'n meddwl gwneud dim byd yn erbyn Llywelyn. Ddim hyd yn oed am eiliad. Bydden ni'n ei amddiffyn o efo'n bywydau pe byddai'n rhaid.'

'Ond mae brenhinoedd Lloegr i gyd yn byw mewn cestyll.'

'Yn hollol, Dafydd bach. Yn hollol. Maen nhw'n byw mewn cestyll achos bod rhaid iddyn nhw. Dydy'r bobl ddim yn eu parchu cymaint ag rydyn ni'n parchu Llywelyn. Maen nhw'n byw mewn ofn o hyd, ofn y bydd rhywun yn ymosod arnyn nhw.

Rhoddodd Ifan broc bach arall i'r tân nes bod y gwreichion yn tasgu.

'Ti'n gweld, Dafydd, beth mae Llywelyn wedi'i wneud ydy llwyddo i reoli bron i Gymru gyfan. Mae pawb ar ei ochr o.'

Roeddwn i'n hapus iawn yn y gwaith, yn trin y metel ac yn dysgu llawer oddi wrth yr hen Ifan. Byddwn i'n fodlon gwneud unrhyw beth drosto. Un diwrnod, pan oeddwn i wrth yr afon yn casglu cerrig er mwyn codi wal yn yr hen efail, daeth dyn pwysig yr olwg ata i. Un o weision Llywelyn oedd hwn yn ôl ei wisg.

'Hei, ti, Dafydd!' gwaeddodd arna' i. 'Mae angen i ti roi'r gorau i gasglu'r cerrig yna. Tyrd i Gae'r Ffos am chwech o'r gloch bore fory, a phaid â bod yn hwyr!' Ac i ffwrdd ag e. Fi? Cae'r Ffos? Chwech o'r gloch y bore? Tybed beth oedd o ei eisiau? Dywedais wrth Ieuan beth oedd wedi digwydd, a phenderfynodd y ddau ohonon ni y bydden ni'n mynd yno. Doedd yr haul ddim wedi codi'i ben dros Benmaen-mawr eto, ond roedd y golau gwan yn ddigon i ddangos y ffordd i ni at Gae'r Ffos. Pan gyrhaeddon ni, roedd rhyw hanner cant o fechgyn ifanc tua'r un oed â ni yno. Roeddwn i'n nabod rhai ohonyn nhw, ac roedd eraill wedi teithio o lefydd cyn belled â Chaer Seiont ac Aberconwy.

Yn sydyn, ymddangosodd Llywelyn ei hun ar godiad tir uwch ein pennau. Tawelodd pawb i glywed yr hyn oedd ganddo i'w ddweud.

'Heddiw, fe fyddwn ni'n teithio gyda'n gilydd i Foel y Don.' Roedd ei lais yn gadarn ac yn llawn cyffro. 'Byddwch yn cael cleddyfau, ac yn dilyn gorchmynion eich arweinwyr. Mae'n rhaid i chi ymddiried ynddyn nhw. Byddwch yn gadarn. Sefwch fel un!'

Yna, trodd Llywelyn a diflannu'r un mor sydyn. Dywedodd yr arweinwyr wrthon ni fod angen i ni sefyll y tu ôl i'r dynion mawr. Sefyll y tu ôl i filwyr dewr Llywelyn, yn wynebu'r gelyn. Dal ein tir, beth bynnag fyddai'n digwydd. Rhedai'r cynnwrf drwy'r criw i gyd. Ond rhedai ofn hefyd. Roedden ni'n mynd i fod yn rhan o frwydr. Fe fydden ni'n amddiffyn Gwynedd rhag y Saeson. Ond dim ond bechgyn oedden ni . . .

'Rhaid i chi ymddiried ynddyn nhw . . .' Chwyrliai'r geiriau o gwmpas fy mhen. Gwyddwn na fyddai Llywelyn yn gwneud dim byd a allai beryglu fy mywyd i. Wedi'r cyfan, roedd o'n gwybod fy enw i . . .

Wedi pedair awr o gerdded, dyma ni'n cyrraedd glannau'r Fenai o'r diwedd. Roedd yr haul yn uchel uwch ein pennau, a Moel y Don yn disgleirio'n glir oddi tanon ni yn y gwres. Roedd ychydig o filwyr rhyngom ni a'r dŵr, ond o edrych tuag at Ynys Môn yr ochr draw i afon Menai, roedd llawer mwy o'r gelyn yno. Roedden nhw wedi adeiladu pont o longau a ymestynnai o un lan i'r llall.

Gafaelais yn fy nghleddyf, a gwelais Ieuan yn gwneud yr un peth. Ddywedodd y ddau ohonon ni ddim gair wrth ein gilydd. Dim ond edrych draw at y dŵr. Edrych ac aros. Ond roedd mwy ohonyn nhw nag oedd yna ohonon ni. Oedd Llywelyn wedi gwneud camgymeriad? Oedd o wedi dod â chriw o fechgyn ifanc i frwydro yn erbyn byddin o ddynion? Fyddai Llywelyn yn gwneud y fath gamgymeriad? Na fyddai. Roedd o'n gwybod fy enw i . . .

Ond ble roedd Llywelyn? Ble roedd ei filwyr?

Doedd dim amser i hel meddyliau. Yn sydyn, ar ôl aros am oriau, gwelais fflachiadau ar y lan arall. Milwyr yn symud. Arfwisgoedd gloyw yn disgleirio yn yr haul. Ceffylau a milwyr traed yn dechrau croesi'r bont. Dim ond y ni yn eu hwynebu.

Hanner ffordd ar draws y bont. Dim ond y ni rhwng byddin y Saeson a Gwynedd gyfan. Hanner ffordd ar draws y bont, a charn y cleddyf yn llosgi yn fy nwrn.

Hanner ffordd a cheisio cuddio'r ofn a gydiai yn fy nghalon fel gefel Ifan y Gof. Gwelais yr un ofn yn llygaid Ieuan. Am eiliad, aeth y cof yn ôl i'r bryniau uwchlaw Abergwyngregyn, a Ieuan a minnau'n chwarae bod yn filwyr, yn gwneud cleddyfau o bren ac yn esgus bod yn Gymro a Sais am yn ail. Ond nid chwarae oeddem ni y tro hwn. Doedd dim posib gorffen y gêm hon gyda gwên.

Hanner ffordd . . .

Yn sydyn, bob ochr i ni, o gyfeiriad Bangor Fawr yn Arfon a Chaer Seiont, daeth sŵn ceffylau a phedolau, cleddyfau a tharianau. Cannoedd ar gannoedd ohonyn nhw. Ie. Ein milwyr ni. Ein milwyr ni'n rhuthro tuag at y bont o longau. A Llywelyn yn eu harwain. Erbyn hyn, roedd byddin y Saeson bron â chyrraedd y tir. Ond yn hytrach na wynebu llond dwrn o filwyr a hanner cant o fechgyn ifanc â chleddyf yr un, roedden nhw'n wynebu cannoedd ar gannoedd o filwyr dewr a cheffylau cadarn. Dechreuodd y Saeson gilio. Troi yn eu holau dros y bont. Yn ôl tuag at Ynys Môn. Ond roedd y bont yn siglo. Roedd y cychod yn taro'n ffyrnig yn erbyn ei gilydd ac yn rowlio'n drwm o un ochr i'r llall. Aeth y siglo'n ffyrnicach fyth. Ceisiodd rhai milwyr droi'n ôl, ond roedd hi'n rhy hwyr. Roedd y bont wedi dechrau pellhau oddi wrth lan yr ochr draw. Doedd dim troi'n ôl. Penderfynodd rhai o'r Saeson neidio i'r dŵr. Roedd yn well ganddyn nhw geisio nofio'n ôl i'r tir nag wynebu'r Cymry. Ond roedd eu harfau'n drwm. Doedd ganddyn nhw ddim gobaith i gyrraedd y lan.

O fewn hanner awr, dim ond tawelwch oedd ym Moel y Don. Roedd byddin y Saeson i gyd wedi diflannu o dan y dŵr, a'u llongau fel broc môr yn arnofio tua machlud haul.

Edrychais ar Ieuan. Edrychodd Ieuan draw ataf i. Ddywedodd yr un ohonon ni'r un gair. Roedden ni i fod yn hapus mae'n siŵr, ond roedd gweld cynifer o bobl a cheffylau yn cael eu lladd wedi tynnu pob gair allan ohonof fi. Dwi'n gwybod mai'r gelyn oedden nhw. Dwi'n gwybod 'mod i'n teimlo'n hapus nad oedden nhw wedi croesi at ein hochr ni. Dwi'n gwybod 'mod i'n hapus nad oedden ni wedi cael ein lladd. Ond pobl oedden nhw hefyd. Tad a brawd, ewythr a mab. Pobl yn union fel ni.

Roedd y daith tuag adre'n un hir ac roedd Mam yn falch o 'ngweld i. Taflodd ei breichiau amdanaf. 'Pam mae'n rhaid iddyn nhw ymladd, Mam?' gofynnais. 'Pam mae'n rhaid iddyn nhw ymosod arnon ni? Mae Lloegr yn fwy na Chymru, medden nhw. Pam na allen nhw fod yn fodlon ar beth sydd ganddyn nhw?' Am unwaith, doedd gan Mam ddim ateb.

Ymhen mis, roedd Ieuan wedi ymuno â'r fyddin. Ond dewis aros wnes i gydag Ifan y Gof. Roedd Abergwyngregyn yn dawel. Daeth y gaeaf yn gynnar y flwyddyn honno. Roedd rhew cyntaf Rhagfyr yn brathu'n galed, ac afon Rhaeadr Fawr yn araf ei thaith tua'r môr. Roedd Llywelyn a'i filwyr wedi mynd tua'r de, ac Ieuan gyda nhw.

Ymhen pythefnos, aeth si ar led Abergwyngregyn fod Llywelyn wedi'i ladd. Wedi cael ei lofruddio gan un o'r Saeson. Ond ceisio sicrhau heddwch oedd Llywelyn. Ceisio amddiffyn ei wlad.

Mae hi'n oerach fyth yn Abergwyngregyn heddiw. Dydy Ieuan ddim yma. Does dim sôn amdano. Falle ei fod yn fyw. Falle ei fod wedi llwyddo i ddianc, a'i fod ar ei ffordd adre. Hoffwn i ei weld. Mi ddaw, mae'n siŵr.

Mae'n siŵr hefyd y daw'r Saeson yma'n fuan i hawlio'r lle. Falle y dôn nhw fory.

Ond heddiw dwi am fynd am dro. Mynd am dro at lan y môr lle dwi'n cofio gweld Llywelyn am y tro cyntaf. Mynd am dro i ben y bryn lle roedd Ieuan a fi'n chwarae â'n cleddyfau ers talwm. Bydd hi'n braf pan ddaw yn ei ôl. Mi gawn ni gêm gleddyfau eto. Mae'n siŵr mai o fydd yn ennill. Mae'n gleddyfwr gwell na fi erbyn hyn. Mae'n siŵr y daw o. Fory . . .

Dafydd ap Gwilym

Os byddwch chi'n teithio rywdro ar hyd y ffordd o Aberystwyth i Fachynlleth, ac yn dod ar draws arwydd sy'n dweud Penrhyn-coch, trowch oddi ar y ffordd fawr, a dilynwch yr arwydd. Pan ewch drwy bentref Penrhyn-coch, Brogynin, fe welwch chi arwydd bach arall yn eich gwahodd i droi i'r chwith, arwydd â'r enw Dafydd ap Gwilym arno. Byddwch yn teithio am ryw filltir ar hyd rhyw ffordd gul. Ar ôl i chi droi i'r chwith unwaith eto, arhoswch wrth lechen fawr yn y wal sy'n dweud mai dyma fan geni un o'r beirdd gorau a welodd Cymru erioed.

Gan ei fod wedi cael ei eni dros chwe chan mlynedd yn ôl, does gennym ni ddim llun ohono na chofnod manwl o hanes ei fywyd, a does neb yn hollol siŵr ble y cafodd ei gladdu. Ond dychmygwch pe bai rhywun yn dod o hyd i hen lawysgrif yng nghanol yr adfeilion ym Mhenrhyn-coch, llawysgrif yn adrodd hanes bywyd Dafydd ap Gwilym . . .

Cefais fy ngeni ym Mrogynin mewn ardal hyfryd yn llawn bryniau ac afonydd, a sŵn adar a cheirw yn llenwi'r lle. Ardudful oedd enw Mam, a Gwilym Gam oedd enw Dad. Dydw i ddim yn siŵr iawn pam ei fod wedi cael yr enw hwnnw, ond falle am fod ei gefn yn grwn. Dydw i ddim yn hoffi'r enw rhyw lawer, a dyna pam mae'n llawer gwell gen i'r enw Dafydd ap Gwilym na Dafydd ap Gwilym Gam. Defnyddiais yr enw hwnnw unwaith neu ddwy, ond erbyn hyn mae pobl yn fy nabod fel Dafydd ap Gwilym, diolch byth.

Cefais blentyndod hapus iawn; roedd digon i'w wneud yn yr ardal, digon o goed a bryniau i'w dringo a digon o bysgod i'w dal. Un o'r atgofion cynharaf sydd gennyf yw

mynd yng nghwmni fy rhieni i bysgota yn yr afon ger y tŷ. Fe ddalion ni eog mawr, a dyna i chi swper braf gawson ni'r noson honno!

Ymhen ychydig daeth hi'n amser i fi adael cartref a mynd i ffwrdd i'r ysgol. Cefais gyfnod hapus iawn yng nghwmni'r mynachod yn Ystrad Fflur yn dysgu pob math o bethau. Dysgais sut i ddarllen ac ysgrifennu, sut i drin y tir ac fe wnes i hyd yn oed ddysgu Lladin. Ond er cystal oedd addysg mynachod Ystrad Fflur, yr un a ddysgodd fwyaf i fi oedd fy ewythr, brawd Mam. Roedd Llywelyn ap Gwilym yn gwnstabl y castell yng Nghastell Newydd Emlyn ac yn cadw trefn ar bethau yno. Roedd yn byw

yn y Ddôl-goch, rhyw dair milltir i fyny afon Teifi o'r castell. Afon Teifi! Dyna i chi le. Wrth ymyl y Ddôl-goch, mae'r afon yn llifo'n dawel am ychydig, yna'n dawnsio'n fywiog dros gerrig mawr – yn union fel dŵr yn berwi – cyn llifo yn ei blaen yn dawel unwaith eto. Cefais gyfle i ddysgu iaith arall yno, sef Ffrangeg. Dyna i chi iaith hardd a hyfryd. Roedd llawer o Normaniaid a oedd yn siarad Ffrangeg yn yr ardal. Roedd rhai ohonyn nhw'n gwneud yr ymdrech i ddysgu Cymraeg hefyd, ond roedd eraill yn mynnu ein bod ni'n siarad Ffrangeg gyda nhw, felly roedd yn rhaid dysgu'r iaith honno! Roedden ni'n gallu maddau llawer iddyn nhw am fod ganddyn nhw win hyfryd! Roedd f'ewythr yn dweud nad oedd wedi blasu dim byd tebyg erioed.

Ond o'r holl bethau ddysgodd f'ewythr i mi yn ystod fy amser yng Nghastell Newydd Emlyn, y peth pwysicaf oedd iddo ddeffro'r awydd ynof fi i fod yn fardd. Roedd wrth ei fodd gyda geiriau, a phan fyddwn i'n dangos ychydig o linellau neu englynion iddo, roedd yn chwerthin yn uchel. I ddechrau, meddyliais mai chwerthin am fy mhen i roedd e'n ei wneud, ond o dipyn i beth des i sylweddoli mai dyma oedd ei ffordd o ddangos ei fod yn hoffi fy ngwaith. Fe ddywedodd wrthyf fi fod beirdd yn crwydro o fan i fan yn creu cerddi i wahanol bobl, ac yn cael eu talu am wneud. Cael fy nhalu am greu cerddi a chael teithio o fan i fan drwy Gymru? Dyna beth fyddai nefoedd! O'r eiliad honno, gwyddwn yn union beth oeddwn i eisiau'i wneud. Cefais gyfle i weld llefydd na freuddwydiwn eu bod ar wyneb y daear. Un o'r llefydd lle cefais y croeso mwyaf oedd Abaty Talyllychau. Dyna i chi enw hyfryd! Talyllychau. Syrthiais mewn cariad â'r lle ac â'r enw. Ond er cystal y croeso, doeddwn i ddim yn un i aros yn yr un lle am amser hir.

Cofiais rywbryd fod f'ewythr wedi sôn wrthyf am le hyfryd yng ngogledd y wlad. Man lle roedd y tir yn wylltach a lle roedd y bryniau'n fynyddoedd. Cefais fy hudo gan ei ddisgrifiad o'r lle, a phan ddes i'n ddigon hen i fentro ar fy mhen fy hun, dyma benderfynu codi pac, a mynd yno ar fy nhaith. Dilyn yr haul yn y dydd a'r sêr yn y nos, a chymryd tridiau cyfan i gyrraedd. Welais i erioed fynyddoedd mor uchel o'r blaen. Roeddwn i'n arfer meddwl bod Pumlumon yn uchel, ond mae mynydd yma o'r enw'r Wyddfa, ac o ba gyfeiriad bynnag y gwelwch chi'r mynydd, mae fel brenin mawr â chapan gwyn arno yn edrych i lawr dros ei bobl oddi tano.

Ymhen ychydig cyrhaeddais lan y môr, a'r Wyddfa y tu ôl i mi erbyn hyn. O'm blaen roedd ynys wastad yr olwg. Ynys Môn. Doedd dim i'w wneud ond croesi'r Fenai ger Bangor Fawr yn Arfon a chrwydro'r ynys. Cefais groeso twymgalon yno, a chyfle i fynd i weld y man y clywais lawer amdano, sef Ynys Llanddwyn, ynys Santes Dwynwen, santes y cariadon. Mae'n debyg 'mod i wedi gwneud dipyn o enw i mi fy hun gan fod rhai'n dweud bod llawer o gariadon gen i! Mae'n wir 'mod i wrth fy modd yng nghwmni merched, ond bydd yn rhaid i chi ddarllen fy ngherddi i os ydych chi am wybod mwy!

Un o fy hoff ferched oedd un o'r enw Morfudd. Dim ond deunaw oed oeddwn i pan welais i hi gyntaf, ac rwy'n cofio'r peth yn iawn. Roeddwn i wedi cerdded i mewn i'r eglwys gadeiriol ym Mangor a rhyfeddu at brydferthwch y lle. Ond pan drawodd fy llygaid ar ferch ifanc tua'r un oed â mi, nid prydferthwch y lle oedd ar fy meddwl i wedyn, ond ei phrydferthwch hi. Roedd ganddi wallt melyn ac aeliau duon. Merch fechan, dwt oedd hi, a syrthiais dros fy mhen a 'nghlustiau mewn cariad

â hi. Roedd hi wedi teithio ymhell o'i chartref. Un o Eithinfynydd, fferm rhwng Llanuwchllyn a Dolgellau, oedd Morfudd. Ar ôl ei gweld hi, dechreuodd y cerddi lifo. Cywydd ar ôl cywydd. Doeddwn i ddim yn gallu peidio â barddoni. Roedd yn rhaid i mi ddangos fy nghariad ati rywsut, a pha ffordd well nag ysgrifennu cerddi iddi?

Ond doedd popeth ddim yn fêl i gyd. Weithiau, pan oeddwn i'n anfon neges ati, a hithau ymhell i ffwrdd, doedd dim neges yn dod yn ôl. Weithiau, byddai'n addo fy nghyfarfod i, ond wedyn yn torri'i haddewid. Un tro, rwy'n cofio bod y tu allan i'w thŷ yn aros amdani. Ond er i mi aros drwy'r nos, a hithau'n bwrw glaw'n drwm iawn, ddaeth hi ddim i'r drws, ac roedd yn rhaid i mi fynd oddi yno'n wlyb at fy nghroen ac yn drist fy nghalon.

Y siom fwyaf a gefais erioed oedd dod i wybod bod Morfudd yn caru rhywun arall. Cynfrig Cynin oedd ei enw, ond mae'n well gen i ei alw'n Bwa Bach. Priododd y ddau gan fy ngadael i'n drist ac yn unig. Ond nid dyna ddiwedd y stori. O dro i dro, byddai Morfudd a mi'n digwydd cyfarfod, ac roeddwn i'n hoffi meddwl ei bod yn dal yn hoff ohonof i, er ei bod yn wraig i rywun arall.

Gan 'mod i'n teithio llawer, cefais gyfle i aros mewn pob math o westai ar hyd a lled Cymru. Gallwn i ysgrifennu cerddi lawer amdanyn nhw. Rwy'n cofio'n iawn amdanaf fi a 'ngwas ifanc yn cyrraedd un gwesty yn hwyr y nos a'r lle dan ei sang. Penderfynais 'mod i eisiau rhywbeth i'w fwyta, ac wrth i mi geisio penderfynu beth oeddwn am ei gael, gwelais i hi. Ei gweld yr ochr arall i'r ystafell yn edrych draw ata i. Doeddwn i erioed wedi'i gweld hi o'r blaen, ond bobol bach, am ferch brydferth. Penderfynais ddangos iddi 'mod i'n ddyn anrhydeddus a phwysig yn y gymdeithas

drwy ei gwahodd i eistedd gyda mi. Prynais fwyd iddi. Y bwyd gorau yn y lle. Prynais win iddi hefyd, y gwin gorau. Doeddwn i ddim am i'r noson ddod i ben. Mae'n well i fi beidio â dweud popeth ddigwyddodd wrthych chi, ond fe ddyweda i gymaint â hyn. Rhwng popeth, cefais dipyn o helbul y noson honno. Ac ar fy mhen fy hun yr es i'r gwely yn y diwedd. Trafferth mewn tafarn, yn siŵr i chi!

Ar fy nheithiau drwy Gymru, un o'r llefydd roeddwn i wrth fy modd yn ymweld â nhw oedd Parc Rhydderch yng Ngheredigion, sef cartref dyn o'r enw Rhydderch ab Ieuan Llwyd, a'i wraig Angharad. Roedden nhw'n rhoi croeso arbennig i mi bob amser. Ymhlith y trysorau oedd ganddyn nhw yn eu cartref, oedd y Llyfr Gwyn, a dim ond pobl ddethol iawn fyddai'n cael ysgrifennu ynddo. Roedd hwn yn llyfr arbennig iawn. Roeddwn i wedi darllen y llyfr o glawr i glawr – straeon y Mabinogi, am Bendigeidfran a Branwen, am Blodeuwedd a Gwydion, a hanes gwahanol seintiau oedd wedi bod yn byw yng Nghymru. Rwy'n cofio fel petai'n ddoe, Rhydderch yn edrych i fyw fy llygaid, a gofyn i fi eistedd ar gadair o flaen y tân. Doeddwn i ddim yn siŵr a oedd rhywbeth yn bod. Roedd y Llyfr Gwyn ar agor ar y bwrdd o fy mlaen, ar dudalen wag. A daeth y geiriau hyn allan o'i geg: 'Dafydd, a hoffech chi ysgrifennu un o'ch cerddi yn y llyfr?' Fi? Dafydd ap Gwilym? Yn cael ysgrifennu yn y Llyfr Gwyn? Doeddwn i ddim yn gallu credu'r peth. Ysgrifennu yn yr un llyfr â'r Mabinogi a hanes y seintiau! Gafaelais yn y bluen a dechrau ysgrifennu'n ofalus. Crynai fy llaw gan ofn y byddwn yn gwneud camgymeriad. O'r diwedd des i ben â'r gwaith, ac arwyddo fy enw'n llawn. Er nad oeddwn i'n rhy hoff ohono, roedd rhoi fy enw'n llawn yn bwysig yn y Llyfr Gwyn o bob llyfr. Dafydd ap Gwilym Gam! Rwy'n meddwl y gallwch chi weld y gerdd hyd heddiw yn y Llyfr Gwyn.

Un o'r pethau tristaf ddigwyddodd i fi erioed oedd clywed bod f'ewythr, Llywelyn ap Gwilym, fy athro, wedi cael ei ladd. Doedd bod yn gwnstabl y castell ddim yn fywyd hawdd, ac roedd hi'n hawdd gwneud gelynion ar hyd y daith. Mae'n od meddwl na fydda i'n ei weld byth eto, ond fe fydd y pethau a ddysgodd i fi, a'r hwyl a gawson ni'n dau gyda'n gilydd, yn aros yn fy nghof am byth.

Wrth i mi fynd yn hŷn, roedd yr arian y byddai rhai pobl yn ei dalu i mi am fy ngherddi yn prinhau. Roedd yr arian ges i gan fy rhieni yn prinhau hefyd, ac roeddwn i'n gorfod dibynnu ar bobl garedig am lety wrth i fi deithio o fan i fan. Pe bawn i'n gweld y ferch yn y dafarn eto, dydw i ddim yn meddwl y gallwn i fforddio prynu bara a chaws iddi hyd yn oed, heb sôn am gig rhost!

Pan oeddwn i'n hŷn, es yn ôl i rai o'r llefydd oedd yn bwysig i fi. Yn ôl i weld y tŷ lle cefais fy ngeni. Yn ôl i Ystrad Fflur a Thalyllychau. Yn ôl hefyd at lan afon Teifi wrth ymyl y Ddôl-goch. Pan oeddwn i yma o'r blaen yng nghwmni f'ewythr, gallwn neidio dros y cerrig o un ochr yr afon i'r llall. Heddiw, fyddai hi ddim mor hawdd. Pe bai rhywun ond wedi adeilad pont garreg dros yr afon yn y fan hon, gallwn gyrraedd yr ochr draw heb orfod poeni am wlychu fy nhraed!

Dim ond un peth sydd gen i ar ôl i'w wneud nawr. Rwyf wedi ysgrifennu popeth rwyf eisiau ei ysgrifennu, wedi gweld pob man yng Nghymru roeddwn i eisiau ei weld. Yr unig beth sy'n weddill yw penderfynu lle bydda i'n cael fy nghladdu pan ddaw'r amser. Mae dau le yn fy meddwl i. Rwy'n cofio gweld derwen fawr yn tyfu gerllaw'r abaty yn Ystrad Fflur pan oeddwn i'n cael fy nysgu gan y mynachod yno. Am goeden hardd, gyda'i changhennau'n ymestyn yn uchel ac yn fonheddig i'r awyr.

Rwy'n cofio'i dringo, a gweld ymhell i bob cyfeiriad.

Y lle arall yw Talyllychau – y lle â'r enw prydferthaf yn y byd. Hoffwn feddwl, bob tro y bydd pobl yn ymweld â'r lle, y byddan nhw'n dweud yr enw'n uchel rhag ofn iddyn nhw anghofio pa mor brydferth yw'r enw. Ond hefyd, gobeithio y byddan nhw'n dweud enw arall yn dawel, sef fy enw i – os byddan nhw'n digwydd cofio 'mod i wedi bod yno'n cael amser da yng nghwmni'r mynachod mwyn.

Bydd yfory'n ddigon buan i benderfynu . . .

Owain Glyn Dŵr

Gadewch i fi gyflwyno fy hun i chi. Crach Ffinnant yw'r enw, ac roedd gen i swydd bwysig iawn yng Nghymru flynyddoedd lawer yn ôl. Tua chwe chan mlynedd yn ôl, a bod yn fanwl gywir. Roedd rhai yn fy ngalw i'n fardd ac eraill yn fy ngalw i'n broffwyd, sef rhyw fath o ddyn oedd yn gallu rhag-weld beth oedd yn mynd i ddigwydd. Ond roedd yr un pwysicaf yn fy ngalw i'n ffrind. Owain Glyn Dŵr oedd hwnnw – y dyn mwyaf anhygoel a gerddodd dir Cymru erioed.

Gerllaw pentref Llansilin ym Mhowys mae lle arbennig iawn o'r enw Sycharth. Os ewch chi yno heddiw, fe welwch domen fawr a choed a phyllau dŵr o'i hamgylch. Ond, chwe chan mlynedd yn ôl, dyma gartref Owain, ei wraig a'i blant. Roedd y lle'n fwrlwm o un pen diwrnod i'r llall. Codai'r gweision a'r morynion yn gynnar i baratoi ar gyfer gwaith y diwrnod. Weithiau fe ddôi uchelwyr o bell i gael gwledd yn y llys. Roedd yno ddigon o bysgod a chig a llysiau. Digon o wres a hwyl a chwerthin. Roedd Marged, gwraig Owain, hefyd yn llawn croeso. Er bod ganddi forynion i'w helpu, hoffai hi wneud yn siŵr fod popeth yn barod ar gyfer y wledd ei hun.

Un noson, wedi i bawb fynd i'r gwely, wrth i Owain a minnau sgwrsio o amgylch y tân, digwyddodd y siarad droi at y newid mawr oedd wedi digwydd yng Nghymru yn ddiweddar. Roedden ni'r Cymry wedi dechrau teimlo nad oedden ni'n cael chwarae teg yn ein gwlad ein hunain, gan fod pobl eraill yn dweud wrthyn ni beth i'w wneud.

'Owain, mae eisiau i ti wneud rhywbeth am y peth,' oedd f'union eiriau.

'Am beth?' holodd Owain.

'Wel, am yr holl bobl yma sy'n symud i mewn i'r wlad ac yn meddwl y gallan nhw

wneud fel y mynnan nhw. Mae'n hen bryd i rywun ddweud "digon yw digon!" Mae'n rhaid i ni gael rhywun i'n harwain ni.'

'Fi? Beth alla i 'i wneud?'

Ddywedais i ddim byd. Dim ond edrych arno. Ddywedodd Owain ddim byd chwaith. Dim ond edrych yn ôl. Nid edrych *arna'* i, ond edrych *trwydda* i.

Owain oedd yr union un i'n harwain. Roedd wedi dangos ei fod yn filwr ardderchog. Roedd o wedi bod yn ymladd ym myddin Lloegr am flynyddoedd, ac wedi ennill bob tro. Ond nid yn Lloegr yr oedd ei galon, ac o'r noson honno ymlaen, ni fu Owain fyth yr un person. Roedd yna dân yn ei enaid a breuddwyd yn ei galon. Ia, edrych trwydda i. A dwi'n gwybod yn iawn beth oedd yn mynd trwy'i feddwl achos proffwyd ydw i.

Chwythai'r gwynt yn filain trwy ganghennau coed Sycharth y noson honno. Curai'r glaw'n ddi-baid ar y to. Ond y tu mewn, nid y tywydd oedd ar feddwl Owain.

Ond doeddwn i, Crach Ffinnant, y proffwyd mawr, yr un oedd i fod i allu rhagweld y dyfodol, doeddwn i hyd yn oed ddim wedi meddwl y byddai pethau'n symud mor gyflym. Galwodd Owain ei deulu a'i gyfeillion ynghyd i Lyndyfrdwy ar 16 Medi 1400, a chyhoeddi o flaen pawb mai ef oedd Tywysog Cymru. Torf o dros dri chant o bobl yn bloeddio ac yn cymeradwyo ein tywysog newydd ni! Owain ap Gruffudd Fychan ap Gruffudd oedd ei enw yn cyrraedd Glyndyfrdwy'r diwrnod hwnnw, ond o hynny allan, fel Owain Glyn Dŵr y câi ei adnabod.

Dychmygwch y sefyllfa. Owain yn sefyll ar ben y bryn o dan haul braf, a'i ddilynwyr i gyd yn gwrando ar bob gair. Doedd dim amheuaeth yng nghalonnau'r dorf – Owain oedd Tywysog Cymru. Lledodd y newydd fel tân gwyllt drwy'r trefi

a'r pentrefi cyfagos, ac roedd mwy a mwy o bobl yn dangos eu cefnogaeth iddo.

Un nad oedd yn hapus o gwbl am hyn oedd Reginald Grey, arglwydd Rhuthun a Dyffryn Clwyd. Roedd hwnnw'n Sais rhonc, ac yn elyn i Owain. Roedd wedi ceisio dwyn tiroedd Owain, ac felly'r peth cyntaf a wnaeth Owain a'i ddilynwyr oedd mynd i dref Rhuthun a'i llosgi i'r llawr.

Clywodd Brenin Lloegr am hyn a gwylltiodd yn gacwn. Pa hawl oedd gan Gymro alw'i hun yn Dywysog Cymru? Brenin Lloegr oedd yn rheoli Cymru, a threfnodd anfon byddin i ladd Owain. Doedd y brenin ddim yn gwybod fod gan y Cymry galonnau mawr, a'u bod yn ymladdwyr dewr a chadarn. Roedd yn meddwl y byddai'n hawdd eu curo a'u trechu, ond nid felly y bu. O fewn ychydig fisoedd, roedd pobl dros Gymru gyfan yn cyfri Owain fel gwir Dywysog Cymru.

Penderfynodd Brenin Lloegr fod yn greulon iawn tuag at y Cymry. O fewn blwyddyn i'r cyfarfod yng Nglyndyfrdwy, roedd y brenin wedi deddfu na fyddai unrhyw Gymro'n cael swydd bwysig yng Nghymru. Doedden ni ddim yn cael bod yn berchen ar unrhyw gastell na thŷ mawr, cadarn. Doedd dim hawl i ni wisgo arfau. Doedden ni ddim hyd yn oed yn cael cyfarfod â'n gilydd mewn niferoedd mawr a doedd y beirdd ddim yn cael odli!

Os oedd Brenin Lloegr yn meddwl y byddai'n gallu ein trechu ni'r Cymry fel hyn, roedd yn gwneud camgymeriad mawr. Yn hytrach na'n gwanhau, roedd hyn yn ein cryfhau. Roedd mwy a mwy o bobl yn ymuno yn yr ymgyrch. Roedd Ceredigion a Phowys yn gryf eu cefnogaeth i Owain, a mwy a mwy o'r Cymry'n falch o allu dweud mai Cymro, Owain Glyn Dŵr, oedd gwir Dywysog Cymru.

Ond roedd Brenin Lloegr yn dal wedi gwylltio. Penderfynodd wneud popeth a allai i ladd Owain Glyn Dŵr a'i ddilynwyr. Pan ddaeth y Brenin i Lanymddyfri, penderfynodd y byddai'n dysgu gwers i ni. Daliodd byddin Lloegr un o gefnogwyr Owain, sef Llywelyn ap Gruffudd Fychan, a'i ladd ar sgwâr y dref o flaen y Brenin. Roedd byddin Lloegr yn gryfach na'n byddin ni'r Cymry. Roedd ganddyn nhw fwy o arian i brynu arfau gwell. Roedd ganddyn nhw fwy o filwyr. Ond os oedden nhw'n gryfach, roedden ni'n ddewrach ac yn fwy cyfrwys.

Penderfynodd y Saeson ddysgu gwers i Owain. Roedd ganddo ddau gartref. Un yng Nglyndyfrdwy a'r llall yn Sycharth. Un noson dywyll, aeth criw o filwyr Lloegr i Sycharth a Glyndyfrdwy a llosgi'r tai i'r llawr. Doedd gan Owain ddim un cartref wedyn. Ond er nad oedd ganddo dŷ, roedd digon o bobl ar hyd a lled Cymru a fyddai'n fodlon rhoi llety iddo, a'i guddio rhag y Saeson. Os oedd y Saeson yn meddwl y byddai llosgi'i dai yn atal Owain rhag bod yn Dywysog Cymru, roedden nhw'n camgymryd yn fawr. Roedd y frwydr yn parhau.

Doedd Owain ddim wedi anghofio am yr hen elyn, Reginald Grey. Penderfynodd ei gipio a'i ddal. Byddai'r Saeson wedyn yn gorfod talu arian i Owain i'w adael yn rhydd. Un noson dywyll, ymosododd Owain a'i ddynion ar gartref Reginald Grey, a llwyddo i'w gipio a'i ddwyn i le dirgel. Trefnodd gweision Reginald fod arian yn cael ei gasglu i'w ollwng yn rhydd. Ond penderfynon nhw y bydden nhw'n ceisio twyllo Owain drwy roi arian ffug mewn sach. Daethon nhw â'r sach at Owain. Ond roedd rhywbeth yn llygaid y Saeson yn dweud wrth Owain na ddylai ymddiried ynddyn nhw. Agorodd y sach a thywallt yr holl arian papur ar y bwrdd. Edrychodd yn fanwl

ar yr arian, a darganfod mai arian ffug oedd y cyfan. Roedd y Saeson wedi ceisio'i dwyllo. Ond fe ddysgai Owain wers iddyn nhw! O, gwnâi! Anfonodd y milwyr yn ôl at Frenin Lloegr, a dweud wrtho os oedd am i Owain adael Reginald Grey yn rhydd, yna byddai'n rhaid i'r Brenin dalu ddwywaith cymaint y tro nesaf!

Roedd Owain wedi clywed bod yna fyddin fawr o Saeson ar y ffordd i Gymru, wrth ymyl lle mae Trefyclawdd erbyn hyn. Ar Fehefin 22, 1402, bu brwydr fawr rhyngon ni a'r Saeson ar y Bryn Glas. Roedd hi'n frwydr waedlyd, a chollodd y ddwy ochr nifer o filwyr da. Ond ni enillodd yn y diwedd, ac roedd yn rhaid i weddill byddin Lloegr droi yn eu holau'n drist i'w gwlad eu hunain.

Roedd Caerfyrddin yn dref oedd wedi cael ei rheoli gan y Saeson ers amser, a phenderfynodd Owain fod yn rhaid i hyn newid. Dyffryn braf, gwastad oedd Dyffryn Tywi, lle roedd y cnydau'n tyfu'n dda, a'r anifeiliaid yn pesgi'n hyfryd, a digon o fwyd ar gael i bawb. Byddai gallu rheoli Caerfyrddin yn cryfhau statws Owain fel Tywysog Cymru. Gorffennaf 6, 1403 oedd y dyddiad. Llwyddodd Owain

a'i filwyr i yrru'r Saeson o'r castell, a chodwyd baner Glyn Dŵr yn uchel uwch y waliau er mwyn i bobl o bell ac agos fedru ei gweld yn cyhwfan mewn buddugoliaeth. Roedd Owain erbyn hyn wedi llwyddo i gipio cestyll ar hyd a lled Cymru, gan wylltio'r Saeson yn llwyr. Castell Newydd Emlyn, Cydweli, Harlech, Aberystwyth. Roedd y buddugoliaethau'n dod yn gyson.

Erbyn diwedd 1403, roedd pobl Cymru bron i gyd yn cydnabod Owain Glyn Dŵr fel eu tywysog. O Fôn i Fynwy, credai pawb mai ni'r Cymry ddylai fod yn rheoli ein gwlad ein hunain, ac na ddylen ni orfod gwrando ar bobl eraill yn dweud wrthyn ni beth i'w wneud.

Roedd Brenin Lloegr yn wynebu tipyn o drafferthion yn ei wlad ei hun. Roedd llawer yn ceisio cael gwared ohono, ac roedd dau o'r rhain wedi dod i gytundeb gydag Owain. Henry Percy ac Edmund Mortimer oedd eu henwau, a'r cynllun oedd rhannu Cymru a Lloegr yn dair rhan rhyngddyn nhw. Roedd cysylltiad teuluol rhwng Edmund Mortimer ac Owain gan fod Edmund wedi priodi ei ferch, Catrin. Daeth y tri gŵr i bentref bach Bryneglwys yn Nyffryn Iâl, ac arwyddo'r cytundeb gan ddefnyddio darn gwastad o garreg fel bwrdd. 'Bwrdd y Tri Arglwydd' yw enw'r bobl leol ar y garreg hyd heddiw.

Yn anffodus, doedd Henry Percy nac Edmund Mortimer ddim yn llwyddiannus yn eu brwydrau yn erbyn Brenin Loegr, ac felly roedd yn rhaid i Owain edrych am gyfeillion eraill er mwyn gallu rheoli Cymru'n fwy cadarn. Yn 1404 cytunodd Owain a Brenin Ffrainc eu bod yn mynd i gydweithio er mwyn trechu Harri IV, brenin Lloegr.

Mae pawb yn gwybod mai'r un peth sydd ei angen os ydy gwlad am reoli'i hun

yw senedd. Criw o bobl bwysig yn dod at ei gilydd i wneud penderfyniadau pwysig. A dyna'n union ddigwyddodd. Gwelodd Owain mai un o'r trefi mwyaf canolog yng Nghymru oedd Machynlleth, ac felly yn y dref honno yr aeth ati i drefnu senedd yn 1404. Flwyddyn yn ddiweddarach cynhaliodd senedd yn Harlech hefyd.

Roedd y brwydro'n parhau a Brenin Lloegr yn gwario mwy a mwy ar arfau a cheffylau a milwyr i geisio ennill y rhyfel yng Nghymru. Doedd gan Owain ddim cymaint o arian â Brenin Lloegr, ond roedd ganddo fantais. Roedd milwyr Cymru'n adnabod y tir, pob ogof a dyffryn, pob afon a chraig. Ac felly, pan oedd byddin Lloegr yn ceisio ein curo ni'r Cymry, roedd y fyddin Gymreig un cam ar y blaen bob tro.

Ond rhag ofn eich bod chi'n meddwl mai dyn oedd yn hoffi ymladd yn unig oedd Owain, roedd hefyd ganrifoedd o flaen ei amser. Pan oedd ym mhentref Pennal, ger Machynlleth, penderfynodd ysgrifennu llythyr at Frenin Ffrainc. Yn hwn, mae'n sôn am greu un eglwys i Gymru o dan ofal y Pab yn Rhufain. Mae hefyd yn sôn am y gobaith o sefydlu prifysgol i Gymru. Dyn oedd yn meddwl yn ogystal â gwneud oedd yr hen Owain felly!

Gofynnodd Owain i fi sawl tro beth oeddwn i'n meddwl oedd yn mynd i ddigwydd. I ddechrau roeddwn i'n gallu dweud yn gwbl onest wrtho 'mod i'n meddwl ein bod ni'n mynd i lwyddo. Roedd pethau'n mynd o'n plaid ni. Roedd y rhan fwyaf o bobl Cymru ar ochr Owain, a gwledydd eraill hyd yn oed yn ein cefnogi ni. Ond fesul tipyn, nid fel rhyw wynt cryf, sydyn, ond fel niwl araf yn dod, fe ddaeth newid. Roedd rhai o'r Cymry a oedd wedi cefnogi Owain yn y gorffennol yn dechrau troi oddi wrtho. Unwaith roedden nhw'n clywed bod byddin Lloegr yn ennill brwydrau fan hyn a

fan draw, roedden nhw'n ddigon parod i droi cefn ar Owain. Un o'r gwaethaf oedd dyn o'r enw Gwilym ap Gruffudd. Pan oedd Owain ar ei gryfaf, roedd Gwilym fel ci bach iddo, yn hollol gefnogol i Owain, ond yr eiliad y newidiodd pethau er gwaeth, anghofiodd Gwilym bopeth am Owain, a chefnogi Brenin Lloegr. Nid dyma'r math o berson sydd ei angen arnon ni yma yng Nghymru.

Ond gormod o bobl fel Gwilym ap Gruffudd sydd yma. Roedd Owain yn ei chael hi'n anoddach cadw rheolaeth ar rannau o'r wlad, ac roedd y rhai a fu unwaith yn gyfeillion iddo'n dechrau troi eu cefn arno. Roedd y Saeson yn gyfrwys iawn, ac yn cynnig arian ac yn addo tiroedd i'r rhai a fyddai'n dangos cefnogaeth i Frenin Lloegr. Roedd y cestyll y bu Owain yn eu rheoli ar un adeg yn disgyn i ddwylo'r Sais fesul un, rhai fel Cydweli, Aberystwyth, Harlech a Chaerfyrddin.

Er hynny, roedd Owain yn dal i achosi trafferthion mawr i Loegr o bryd i'w gilydd. Er bod rhai wedi troi eu cefn arno fo, doedd Owain ddim wedi troi ei gefn ar Gymru. Cafodd gynnig gan Frenin Lloegr – cynnig arian a thŷ mawr a thiroedd, fel y gallai fyw'n gyfforddus am weddill ei fywyd. Yr unig beth yr oedd yn rhaid iddo'i wneud oedd ymgrymu o flaen y brenin, a chydnabod mai Harri oedd brenin Cymru. A wnaeth Owain hyn? Naddo, nid ar unrhyw gyfri.

Rwy'n cofio'r tro diwethaf i fi weld Owain. Roedd y ddau ohonon ni wedi mynd i Sycharth. Chwythai'r gwynt yn gryf drwy'r coed fel cynt, a chwyrlïai niwl trwchus o amgylch y lle. Ddywedon ni 'run gair, dim ond edrych. Edrych ar y gaer oedd bellach yn llwch. Gallwn i daeru 'mod i wedi gweld deigryn bach yn cronni yn ei lygad. Trodd tua'r bryn a dechrau cerdded. Gwyddwn ei fod eisiau bod ar ei ben ei hun.

Gwyddwn hefyd nad dyma'r amser i fynd ar ei ôl. Amser Owain oedd hwn. Dringodd yn uwch ac yn uwch, a diflannu'n raddol i niwl bryniau Llansilin.

Welais i erioed mo Owain wedyn. Mae digon o bobl wedi gofyn i fi i ble'r aeth. Ddylwn i o bawb fod yn gwybod – Crach Ffinnant, y proffwyd mawr, yr un sy'n gwybod popeth. Ond dydw i ddim. Nid erbyn hyn. Ond mi wn i hyn. Mae Owain wedi'n gadael ni, ond heb ein gadael ni chwaith. Pan fydd Cymru ei angen, fe fydd yn ei ôl. Ryw ddydd.

Twm Siôn Cati

Mae'n noson dywyll. Dim lleuad na sêr. Dim byd ond sŵn y gwynt yn udo, a phob hyn a hyn, sŵn y glaw'n curo'n ddidrugaredd ar yr heol dyllog. Y flwyddyn yw 1550 ac mae pob Cymro a Chymraes yn ceisio tynnu'r dillad gwely dros eu pennau'n dynn, a gweddïo y daw'r bore i leddfu ar hunllefau'r storm. Wel – nid pob Cymro. Mae llond dwrn o bobl yn teithio yn yr unig gerbyd sydd ar y ffordd heno, sef coets y post . . . ac mae un Cymro arall allan yn y storm hefyd. Un Cymro eofn yn cuddio yn y coed yn disgwyl am ei gyfle. Mae mwgwd dros ei wyneb a phistol yn ei law. Mae'r Cymro hwn yn barod i godi mwy o ddychryn ar yrrwr y goets nag y gallai'r un storm fyth ei wneud.

Ust! Mae'n clywed carnau'r meirch yn nesáu, ac fel mellten mae'n rhuthro i ganol y ffordd:

'Dy arian neu dy fywyd!'

A dyna ofnau mwyaf teithwyr y cerbyd wedi dod yn wir! Daeth Twm Siôn Cati i hawlio ei dâl . . .

Ac am bedwar can mlynedd a mwy mae storïwyr Cymru wedi bod wrth eu bodd yn adrodd hanes anturiaethau'r lleidr pen-ffordd enwog hwn. Heb os, fe gewch chi'r straeon gorau yn llyfrau T. Llew Jones, a phan ddaw cyfle, gwnewch yn siŵr eich bod yn darllen *Y Ffordd Beryglus*, *Ymysg Lladron* a *Dial o'r Diwedd*.

Ond am y tro, gadewch i ni geisio mynd dan groen y cymeriad diddorol hwn, a dysgu ychydig mwy amdano – oherwydd, dyn go iawn oedd Twm Siôn Cati cofiwch, nid dyn o fyd y comics a'r llyfrau a'r ffilmiau yn unig!

Ac os mai dyn go iawn oedd e, mae'n rhaid bod ganddo fam a thad fel pawb arall.

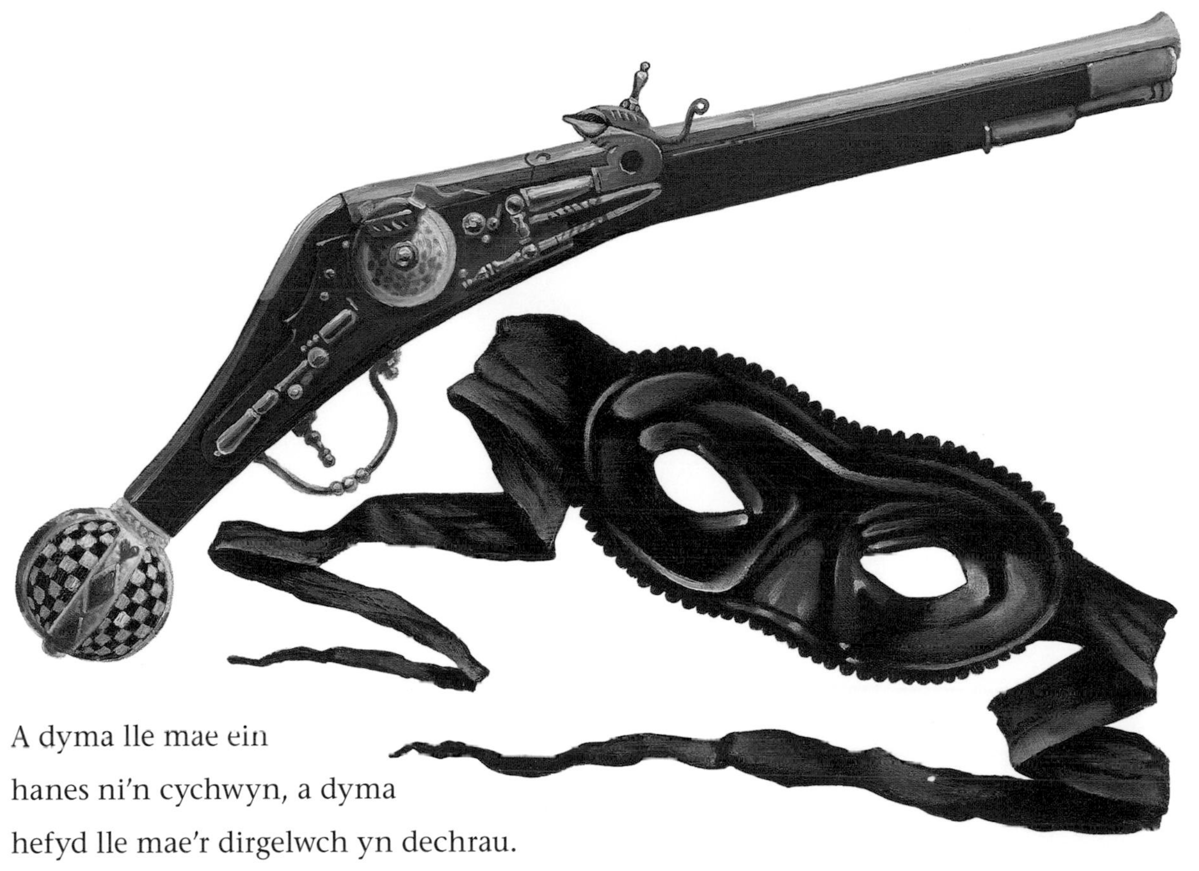

A dyma lle mae ein hanes ni'n cychwyn, a dyma hefyd lle mae'r dirgelwch yn dechrau.

Ganed Twm Siôn Cati, neu Thomas Jones o roi iddo ei enw bedydd, dros bedwar can mlynedd yn ôl. Does neb yn gwbl sicr pwy oedd tad Twm Siôn Cati, ond mae pawb yn amau ei fod e'n perthyn rywsut i'r bonheddwr mawr – Syr John Wynn o Wydir. Dyn cefnog oedd Syr John, yn byw mewn plas ger Llanrwst. Ffordd y Cymry o ddweud 'John' yw Siôn, ac mae rhai'n dweud mai ar ôl Syr John y cafodd Twm ei enw canol. Waeth beth am hynny, mae'n weddol sicr mai Catrin oedd enw ei fam. Yn aml iawn, fe fydd pobl yn troi 'Catrin' yn 'Cadi' neu 'Cati', a dyna esbonio enw'r mab bach bywiog hwn: Twm, mab John a Catrin. Twm Siôn Cati.

Chafodd Twm ddim ei fagu yn Llanrwst, ond yn hytrach yn ardal Tregaron, mewn tŷ o'r enw Porth y Ffynnon (ac yn ôl ambell stori arall, mab anghyfreithlon i sgweier Porth y Ffynnon oedd Twm). Pan oedd e'n fachgen bach fe sylweddolodd Twm mor dlawd oedd llawer o bobl Cymru, ac mor anodd oedd hi arnyn nhw i gadw dau ben llinyn ynghyd. Os oedd rhai o'i gyndeidiau'n berchen ar lawer o dir, ac yn ddi-hid am dlodi'r tyddynwyr, nid un felly oedd Twm. Byddai bob amser yn gwneud ei orau glas i helpu pawb . . . ac mae rhai'n dweud mai dyma pam y dechreuodd wneud peth mor ddrwg â throi'n lleidr pen-ffordd. Gwelai Twm ei bod hi'n gwbl annheg fod gan rai lawer o arian a rhai eraill heb yr un geiniog goch. Wyddai e ddim am unrhyw ddull arall o geisio cael tegwch – yr unig ffordd y gwelai o rannu cyfoeth y wlad yn well oedd drwy ddwyn arian oddi ar y cyfoethog a'i roi i'r tlawd. A dyna'n union beth a wnaeth.

Neu o leiaf, dyna beth mae ei ffrindiau wedi'i ddweud ar hyd y canrifoedd. Mae ei elynion, wrth gwrs, wedi mynnu mai dyn drwg oedd Twm ac y dylai fod wedi cael ei garcharu am oes am fod yn lleidr mor ddigywilydd.

Ymhen dim roedd ganddo lawer iawn o elynion a rheiny'n bobl gyfoethog a phwerus. Felly bu'n rhaid iddo fynd i guddio, a threuliodd flynyddoedd yn byw mewn ogof gerllaw Rhandir-mwyn. A dweud y gwir, gallwch weld yr ogof hyd y dydd heddiw, a chydag ychydig o ddychymyg, mae'n bosib gweld y lle yn gartref digon diddos i'r hen Dwm Siôn Cati. Yn sicr, fentrodd yr un o'r byddigions dig ddod i chwilio amdano yng nghanol y goedwig.

Cofiwch, mae rhai'n dweud nad am ei fod yn lleidr yr aeth i fyw yn yr ogof. Yn ôl rhai, bu'n rhaid iddo guddio oherwydd ei fod yn anghytuno â chrefydd y frenhines, ac roedd hynny'n beth peryglus iawn i'w wneud. Yr adeg honno, gallech chi gael eich crogi am fentro gwneud y fath beth.

Ta waeth am hynny, rwy'n siŵr yr hoffech chi gael y stori sut yr helpodd Twm hen wraig fach oedd eisiau prynu sosban ond nad oedd ganddi ddigon o arian i wneud! Fel hyn y bu. Un diwrnod, pan oedd Twm yn cerdded drwy'r wlad, cyfarfu â hen wraig fach a golwg ofidus iawn arni. Aeth ati ar unwaith a gofyn beth oedd yn bod. Esboniodd hithau ei bod ar y ffordd i'r farchnad i brynu sosban. Doedd Twm ddim yn deall pam fod angen bod yn drist ar y ffordd i brynu sosban. Ac aeth yr hen wraig yn ei blaen i esbonio ei bod hi'n drist am nad oedd ganddi lawer o arian a bod y gwerthwr sosbenni'n siŵr o godi crocbris am un newydd.

'Peidiwch â becso dim!' meddai Twm. 'Fe ddof i gyda chi, ac fe wnaf i'n berffaith siŵr na fydd yr hen stondinwr yn eich twyllo chi!'

A bant â'r ddau ar eu siwrne.

Wedi iddyn nhw gyrraedd y farchnad, aeth Twm a'r hen wraig at y gwerthwr sosbenni ac estynnodd Twm am y sosban fwyaf un.

'Hei,' meddai Twm, gan ddal y sosban yn ei law. 'Mae twll yn hon!'

'Twll?' gofynnodd y stondinwr yn sarrug. 'Twll?!'

'Ie. Twll!' meddai Twm drachefn.

'Os gelli di ddangos i mi fod yna dwll yn y sosban,' heriodd y stondinwr, 'fe gei di hi am ddim.'

'O'r gorau!' atebodd Twm, gan daflu winc fach dawel at yr hen wraig, a oedd yn sefyll yn gegrwth gerllaw.

Cododd Twm y sosban yn uchel i'r awyr a syllodd y gwerthwr sosbenni arni.

'Wela i ddim un twll, wir!' dywedodd y stondinwr yn haerllug.

A chyda hynny, rhoddodd Twm y sosban ar ben y stondinwr, yn union fel het.

'Wel,' meddai Twm, 'os nad oes twll yn y sosban, sut yn y byd mawr gest ti dy ben ynddi?!'

Roedd y stondinwr yn wyllt gacwn, ond bu'n rhaid iddo gyfaddef ei fod wedi colli'r dydd a bod Twm yn llygad ei le – oedd, roedd twll yn y sosban!

Cymerodd Twm y sosban yn llawen a'i rhoi i'r hen wraig. Roedd honno wrth ei bodd, a diolchodd i Twm am ddysgu gwers i'r hen stondinwr cybyddlyd bob cam o'r siwrne adref.

Mae hanes y sosban yn llawer mwy diniwed na'r straeon eraill am Twm Siôn Cati'n mynnu arian gan deithwyr ar y ffordd fawr. Ond, yn ôl y chwedlau, roedd y lleidr golygus yn hoff o ferched hardd, ac fe syrthiodd mewn cariad – dros dro o leiaf – â sawl boneddiges gyfoethog wrth geisio dwyn ei pherlau a'i harian.

Ond, wrth gwrs, fel sy'n digwydd i bob dihiryn yn y diwedd, cafodd Twm ei ddal. A bu'n rhaid iddo ddianc yr holl ffordd i Genefa yn y Swistir er mwyn osgoi cael ei garcharu, neu'n waeth, ei ladd. Ond tua dwy flynedd yn ddiweddarach, penderfynodd y Frenhines roi pardwn i Twm, a chafodd ddod yn ôl i Gymru'n ddyn rhydd.

Un o'r pethau cyntaf a wnaeth Twm wedyn, mae'n debyg, oedd priodi Siwan, neu Joan, merch Syr John Price o Frycheiniog a gweddw Siryf Sir Gaerfyrddin. Roedd y ddynes hon yn gyfoethog iawn, a thrwy ei phriodi hi, daeth Twm Siôn Cati i fod yn

ddyn parchus. Byddai hyd yn oed yn eistedd yn y llys barn fel ustus, yn cosbi dihirod y fro ac yn anfon pobl ddrwg i'r carchar!

Treuliodd lawer o amser wedyn yn hel achau teuluoedd bonedd Ceredigion, gan ennill tipyn o arian drwy wneud hynny. Chi'n gweld, bryd hynny, roedd pawb eisiau gallu dweud eu bod nhw'n perthyn i rywun 'pwysig', ac roedden nhw'n barod i dalu arian mawr i unrhyw hanesydd a allai olrhain eu teulu nhw yn ôl at ryw dywysog neu'i gilydd . . . ac roedd gan Twm Siôn Cati ddigon o ddawn a dychymyg i wneud hynny.

Mae eraill yn dweud ei fod wedi llunio llawer o gerddi ac wedi dod yn dipyn o fardd – ac mae rhyw sôn amdano'n ennill cadair mewn eisteddfod bwysig a gynhaliwyd yn Llandâf yn 1564. Yn wir, yn ôl Dr John David Rhys, a oedd yn byw tua'r un pryd â Twm, fe oedd bardd enwocaf a mwyaf crefftus ei ddydd. Ac fe ddarllenais yn rhywle fod ei gerddi i'w cael yn yr Amgueddfa Brydeinig yn Llundain hyd y dydd heddiw . . .

Y gwir amdani yw, nad oes neb yn gwbl sicr pwy yn union oedd Twm Siôn Cati. Ond, mi wn i un peth yn siŵr: mae'n llawer gwell meddwl amdano fel dyn caredig a oedd yn credu y dylai arian gael ei rannu yn deg rhwng pawb, na meddwl amdano fel hen leidr cas a fyddai'n mynd allan fin nos i godi ofn ar bobl ddiniwed . . .

Ac eto, weithiau, pan fo'r gwynt yn udo a'r glaw yn crio a thywyllwch y nos yn troi breuddwydion yn hunllefau, mae bron â bod yn bosib clywed sŵn carnau ei geffyl a dychmygu ei lais yn gweiddi: 'Dy arian neu dy fywyd!'

Dyna beth da ei fod o'n ddigon pell i ffwrdd, ac na ddaw ar gyfyl unrhyw un sydd wedi darllen y stori hon ac sy'n gwybod ei enw a'i hanes!

Guto Nyth Brân

Fe glywsoch sôn am Forys y Gwynt
A'i fod yn rhedwr nerthol,
Ond mi wn i am wibiwr gwell,
Un bachgen chwim, gwefreiddiol.

Roedd llam ei draed fel mellt o dân
Yn fflachio dros y dolydd,
A holltai'i goesau'r rhwystrau i gyd
Wrth rasio i ben y mynydd.

Guto Nyth Brân
A'i galon ar dân
Yn rhedeg a rhedeg
I ennill llaw Siân.

Ni allai'r cŵn na'r meirch i gyd,
Na hyd yn oed y sgwarnog
Fyth guro camp y bachgen hwn –
Hedfanai'n gynt na'r hebog.

Rhyfeddai'i dad wrth weld ei fab
Yn galw'r praidd mor fuan,
Heb gi na ffon – 'mond nerth ei draed –
Fe ddenai'r ŵyn i'r gorlan.

Pan fyddai'i fam, wrth hwylio te,
Yn ei ddanfon i nôl neges,
Fe fyddai'i mab yn ôl o'r dre
Cyn bod y dŵr yn gynnes.

Guto Nyth Brân
A'i galon ar dân
Yn rhedeg a rhedeg
I ennill llaw Siân.

Aeth sôn drwy'r wlad am fab Nyth Brân,
A daeth yn arwr enwog,
A byddai pawb, wrth fentro punt
Ar hwn, yn dod yn gefnog.

Yna, rhyw ddydd, daeth un John Prince
I herio'r Cymro enwog:
'Fe guraf fi y llencyn hwn –
Mae gen i farch ardderchog!'

Guto Nyth Brân
A'i galon ar dân
Yn rhedeg a rhedeg
I ennill llaw Siân.

Ni faliai Guto fotwm corn
Am ymffrost ei wrthwynebwr,
A chysgodd y noson cyn y ras
Mewn breuddwyd hardd ddifwstwr.

Drwy oriau'r nos, dychmygai Siân
Yn ei ddal mewn coflaid esmwyth,
A gwres y das yn gwrlid gwair,
Yn cadw'i gorff yn ystwyth.

Guto Nyth Brân
A'i galon ar dân
Yn rhedeg a rhedeg
I ennill llaw Siân.

Er gwaetha'r dorf, doedd fawr ddim brys
Ar Guto'r bore hwnnw,
A lonciai'n braf heb sylwi dim
Ar y cynnwrf mawr a'r twrw.

'Der mla'n! Der Guto! Rhed yn gynt!
Mae Prince a'i farch yn hedfan!
Fe fyddi'n siŵr o golli'r dydd,
A cholli Siân a'r cyfan!'

Ond gwyddai Guto'n dawel bach
Fod angen dechrau'n araf
Er mwyn cael ennill ras mor hir
A churo'r march cyflymaf.

Guto Nyth Brân
A'i galon ar dân
Yn rhedeg a rhedeg
I ennill llaw Siân.

A fesul milltir, wele Prince
A'i geffyl mawr yn blino,
Ond wrth i'r rhedeg fynd yn faith
Dihunai awydd Guto.

Llamodd ymlaen fel ewig blwydd
A neidiodd dros rwystrau'r gelyn,
Ymlaen! Ymlaen! Heb edrych 'nôl
A'i lygad ar y terfyn.

Roedd tre Casnewydd ymhell o'i ôl
A Bedwas ar y gorwel,
A'r eglwys fach a phen y daith
Yn ei ddenu ar yr awel.

Ac ar y llinell olaf hon
Fe waeddai'r dorf, 'Y Diwedd!'
'Mae Guto wedi cario'r dydd!
Mae'n haeddu'r holl anrhydedd!'

A chyda hyn, aeth mab Nyth Brân
At Siân, ei annwyl gariad,
'*Well done*, fy machgen!' a'i wasgu'n dynn –
A chollodd ei galon guriad.

Guto Nyth Brân
A'i galon ar dân
Yn rhedeg a rhedeg
I ennill llaw Siân.

Diwedd y ras, a diwedd y dydd,
A diwedd y mab o'r mynydd
A allai redeg fel y gwynt,
Yn gynt na'r dryw a'r hedydd.

Bu farw Guto o fferm Nyth Brân,
A syrthio yn yr unfan.
Ac er ennill arian mawr y ras
Fe gollodd Siân y cyfan.

Guto Nyth Brân
A'i galon ar dân
Yn rhedeg a rhedeg
I ennill llaw Siân.

Cyhoeddwyd yng Nghymru yn 2012 gan
Wasg Gomer, Llandysul, Ceredigion, SA44 4JL
www.gomer.co.uk

ISBN 978 1 84851 240 5

dyluniwyd gan Olwen Fowler

Dymuna'r cyhoeddwyr gydnabod cefnogaeth
Adrannau Cyngor Llyfrau Cymru.

Argraffwyd a rhwymwyd yng Nghymru gan
Wasg Gomer, Llandysul, Ceredigion, SA44 4JL